EL ABC

DE LAS INSTALACIONES DE GAS, HIDRÁULICAS Y SANITARIAS

Gilberto Enríquez Harper

Profesor titular de la Esime-IPN

EL ABC

DE LAS INSTALACIONES DE GAS, HIDRÁULICAS Y SANITARIAS

SEGUNDA EDICIÓN

LIMUSA

NORIEGA EDITORES

MÉXICO • España • Venezuela • Colombia

©,2003, EDITORIAL LIMUSA, S.A. DE C.V.
GRUPO NORIEGA EDITORES
BALDERAS 95, MÉXICO, D.F.
C.P. 06040
☎ (5) 8503-80-50
01(800) 7-06-91-00
🖷 (5) 512-29-03
limusa@noriega.com.mx
www.noriega.com.mx

CANIEM NÚM. 121

SEGUNDA EDICIÓN
HECHO EN MÉXICO
ISBN 968-18-6405-0

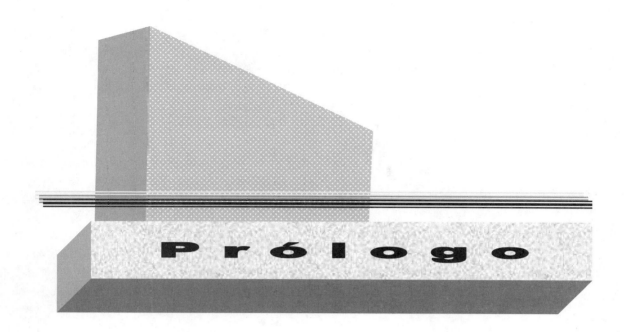

Prólogo

Tomando en consideración la buena aceptación que ha tenido este libro entre los amables lectores, así como las atinadas sugerencias para mejorar su contenido, se han realizado correcciones, cambios y adiciones, de manera que a la **2DA. EDICIÓN DEL ABC DE LAS INSTALACIONES DE GAS HIDRÁULICAS Y SANITARIAS**, se le ha dado un enfoque más práctico.

Se incluye un mayor número de ilustraciones en cada capítulo, tratando de simplificar la lectura y dar mayor objetividad a los temas, también se adiciona una capítulo de **EQUIPOS EN LAS INSTALACIONES DE GAS**, en el que se relacionan las instalaciones de gas, así como con los equipos que usan gas para su funcionamiento.

En la elaboración de esta segunda edición, se ha tenido la valiosa colaboración del Ing. Alejandro Frías Martínez, la Sra. María del Carmen Banda Pérez y en especial de la Lic. Aída A. García Bonola, a quienes expreso mi agradecimiento sincero.

CONTENIDO

CAPÍTULO 1
INSTALACIÓN DE GAS

CAPÍTULO 2
ELEMENTOS DE INSTALACIONES HIDRÁULICAS Y SANITARIAS

CAPÍTULO 3
CÁLCULO DE LOS SISTEMAS DE SUMINISTRO DE AGUA
Y DEL DRENAJE Y VENTILACIÓN

CAPÍTULO 4
EQUIPOS EN LAS INSTALACIONES DE GAS

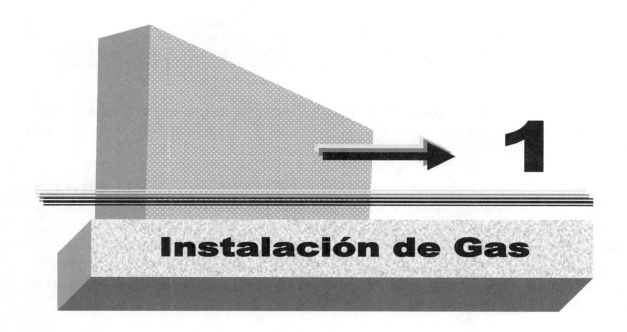

Instalación de Gas

1.1 INTRODUCCIÓN

Cada sustancia que conoce el hombre puede ser líquida, sólida o un gas, y aún cuando el gas es más ligero que las otras dos formas de materia, tiene un cierto peso, se puede hacer caber en espacios muy pequeños y esta es una característica muy importante para su manejo y almacenamiento.

El gas no tiene una forma fija ni un volumen fijo, está hecho del constante movimiento de los átomos, cuando éstos se fuerzan dentro de un contenedor, toman la forma del recipiente contenedor, pero ocupan sólo un pequeño lugar del espacio interior del contenedor, los espacios entre estas partículas son vacíos. Las partículas de gas se pueden convertir en líquido cuando se enfrían debajo de su punto de ebullición, cuando se alcanza esta temperatura las partículas de gas se jalan juntas para formar un líquido, este es el principio usado para formar el oxígeno líquido.

El primer descubrimiento registrado de gas natural lo realizó un pastor griego, que observó que sus ovejas actuaban de una manera extraña en un cierto lugar del campo donde pastaban, investigó y descubrió que una sustancia que emanaba del suelo las hacía más inquietas; los antiguos griegos decían que estos vapores eran el aliento del Dios Apolo, se erigió un templo en este sitio y se le llamó Delpi, que pronto llegó a ser el centro religioso de Grecia. Hace aproximadamente unos 3000 años, los antiguos chinos descubrieron el gas natural y aprendieron que se podía quemar. Ellos tienen el crédito de haber sido los primeros que lo usaron para fines industriales.

El físico belga Jan Baptista Van Helmant, inventó la **palabra gas en 1652** para describir esta sorprendente sustancia, él está acreditado también con la producción del primer gas fabricado con carbón.

Un alemán, Robert Wilhelm Van Bunsen, desarrolló el llamado **quemador Bunsen**, las personas relacionadas con los trabajos de plomería y de instalaciones de gas, están familiarizadas con el mechero o quemador Bunsen, debido a que permanece aún en uso hasta nuestros días. Un quemador Bunsen mezcla aire con gas antes de la combustión para obtener la mejor flama, ésta se puede ajustar para aplicaciones específicas y es prácticamente libre de humo.

El gas se usó casi exclusivamente para el alumbrado de calles y casas, hasta que Thomas Alva Edison inventó la lámpara eléctrica. Actualmente el gas se usa para cocinar, refrigeración, calefacción y muchas otras aplicaciones industriales, dado que **el gas natural es limpio y seco y además no tiene olor**, una fuga de gas en una tubería o en los tubos dentro de una casa o edificación no podría ser detectada hasta que pudiera ocurrir una explosión, por lo tanto, se le agrega un **olorizante** químico al gas antes que se introduzca a las tuberías, este olor alerta a cualquiera en el área de escape, antes de que la concentración pueda alcanzar un nivel peligroso.

Se puede pensar en un sistema de gas como una red simplificada de plomería que consiste de largos tubos que pueden estar instalados debajo del piso o a través de las paredes, soportados por herrajes que alimentan algunos electrodomésticos, como son: los calentadores de agua, las estufas, las máquinas secadoras de ropa, etc. A diferencia de un sistema de plomería para agua, los sistemas de gas no tienen drenajes, y por supuesto, el medio que transporta la tubería es un gas y no un líquido.

Muchas personas le tienen cierto temor al uso del gas, y con muchas razón, ya que una fuga puede causar fuego, explosión o intoxicación. El gas por si mismo no tiene olor (es inodora) y es la razón por la que los proveedores le agregan un elemento que permita detectar su presencia con un fuerte olor.

La anatomía de un sistema de gas se muestra en la figura siguiente, en donde las trayectorias de las tuberías de gas siguen a través de la casa.

El petróleo licuado (gas LP), o bien el gas natural, entran a la instalación de gas vía una alimentación principal. Cuando es gas natural proporcionado por alguna empresa, pasa a través de un medidor de la propia empresa, a través de varias unidades por medio de tubos de acero negro. Se debe instalar una válvula de cierre o corte del suministro de gas en el medidor y se recomienda instalar válvulas de corte en la conexión a cada aparato.

Por ejemplo, en la estufa de gas, el calentador, etc., de manera que se pueda cortar la alimentación en su totalidad, o bien en cada aparato en forma local cuando se desea hacer una reparación. Algunas llaves de corte se accionan en forma manual y otras con llave (stillson o perico), pero generalmente están instaladas en paralelo con la tubería cuando están en posición abierta y están cerradas cuando están perpendiculares a la tubería.

En los quemadores de gas (por ejemplo, el calentador de agua) se deben tener tubos de ventilación o extracción de humos.

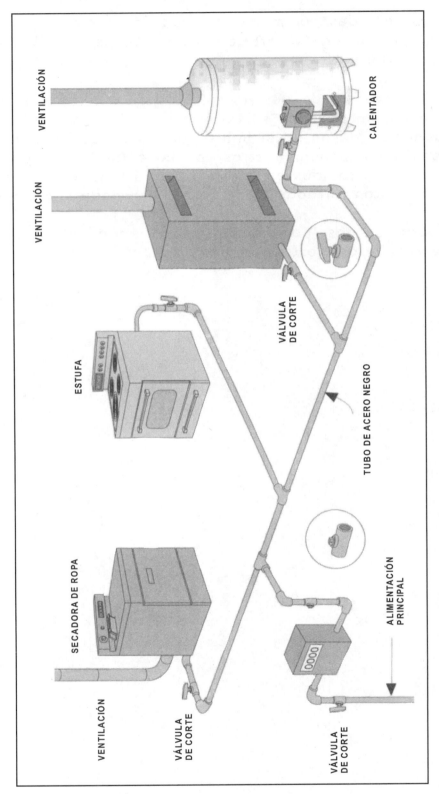

ANATOMÍA DE UNA INSTALACIÓN DE GAS

1.2   TIPOS O CLASES DE GASES.

El gas natural puede tener impurezas químicas que tienen algún valor para otros usos distintos al de combustible, por lo general estas impurezas se retiran antes de que sea entubado el gas a los consumidores. El gas natural que usan muchos consumidores como combustible en los hogares y en la industria, se conoce también como **gas seco o gas dulce**.

El gas natural (metano) no es venenoso, pero puede causar asfixia en lugares cerrados, también es explosivo bajo ciertas condiciones. El gas natural está formado en una proporción mayor de dos hidrocarburos ligeros, como son el **metano y el etano** que son gases no licuables a temperaturas ordinarias y bajo presiones débiles. El gas natural tiene los siguientes componentes en las proporciones indicadas:

Metano.........................	92%
Etano...........................	3.9%
Propano........................	1.8%
Butano..........................	0.1%
Isobutano......................	0.2%
Bióxido de carbono, ácido sulfúrico, argón.............................	2%

La presión de trabajo para aparatos de uso doméstico es: 18 gr/cm^2 .

GAS MANUFACTURADO

El gas manufacturado se produce a partir del carbón, al quemarse produce una flama azul y generalmente se le agregan otros combustibles para incrementar su capacidad de calefacción, este tipo de gas se usa por los consumidores en casas e industrias, puede ser venenoso porque contiene monóxido de carbono y es explosivo bajo ciertas condiciones.

GAS LICUADO DE PETRÓLEO

Este gas se conoce también como gas L.P. o gas embotellado, se obtiene en las plantas que producen gas natural. Este gas en el interior de los tanques o recipientes en que se almacena, transporta y distribuye, se encuentra en estado líquido; este es el único gas combustible que tiene la característica que cuando se somete a presiones mayores que la atmosférica y a la temperatura ambiente promedio ordinaria, se condensa y pasa al estado líquido. El gas L.P. consiste principalmente de butano o propano, o bien, una mezcla de éstos (propano C_3H_8 en 39% y butano C_4H_{10} en 61%), de hecho, el gas LP se obtiene directamente de los mantos petrolíferos mezclado con el petróleo crudo, pero también se puede obtener en una segunda opción de la refinación de algunos derivados del petróleo.

El gas L.P. por sí mismo no es venenoso, es incoloro e inodoro, es decir, no tiene color ni olor y en estado vapor es más pesado que el aire, para poder detectar su presencia en caso de fugas en uniones, pilotos apagados, etcétera, se le agrega olor, que por lo general es también un hidrocarburo obtenido del petróleo llamado **Mescaptano**, que se mezcla en una proporción de 1 litro por cada 10,000 litros de gas LP.

El gas L.P. se usa en forma extensiva en instalaciones de uso doméstico, comercial e industrial, para esto, se clasifican en seis grupos, dependiendo de la forma de almacenamiento (tipo de recipiente) y del tipo de servicio a prestar, estos grupos se denominan *clases*, que son las siguientes:

CLASE A: Son las instalaciones domésticas con recipientes portátiles o estacionarios.

CLASE B: Es la parte de una instalación correspondiente a un edificio con departamentos y que sólo considera a un departamento.

CLASE C: Pertenecen a esta clase las de tipo comercial (restaurantes, tortillerías, tintorerías, etcétera), es decir, todos aquellos locales que no tienen procesos de manufactura.

CLASE D: Es la parte de una instalación doméstica de los edificios con departamentos usados como casas-habitación, que considera el recipiente y a los medidores.

CLASE E: Instalaciones usadas para carburación en motores de combustión interna.

CLASE F: Para aplicaciones industriales en cualquier tipo de recipiente.

TABLA 1
PROPIEDADES DE LOS DISTINTOS GRADOS COMERCIALES DE GAS LÍQUIDO

CONSTANTES	PROPANO	PROPANO BUTANO	BUTANO
Presión de vapor Kg/cm^2			
a 21.1°C	8.44	4.78	2.32
a 32.2°C	11.60	------	3.73
Temperatura a la cual la presión es 0 Kg en C°	-42.2	-30	-9.4
Peso específico del líquido (agua = 1)	0.509	0.552	0.576
Peso de un litro del líquido en Kg	0.509	0.552	0.576
Peso específico del gas (aire = 1)	1.521	1.8	1.95
Litros de gas por Kg del líquido	530.15	447.73	418.39
Litros de gas por 1 de líquido	269.3	246.3	242
Límite de inflamabilidad (gas % en la mezcla gas-aire)			
Límite inferior explosivo	2.4	2.12	1.9
Límite superior explosivo	9	----	8.4
Valores caloríficos:			
Calorías por m^3	22691	26695	28221
Calorías por kilo	12030	11967	11948
Calorías por litro	6112	6644	6818
Calor latente de vaporización al punto de ebullición			
Calorías por kilo	103.3	98.3	94.4
Calorías por litro	52.4	53.2	55.2
m^3 de aire para quemar cada m^3 de gas	23.92	31.1	31.1

TABLA 2
EQUIVALENCIAS DE PESOS Y MEDIDAS DE GAS LICUADO DE PETRÓLEO (BUTANO-PROPANO)

1 LITRO	= 0.560 KG
	= 9.672 PIES CÚBICOS
	= 6364 KCAL
	= 25254 BTU
1 GALÓN	= 0.264 GAL
	= 3.7854 LITROS
1 KILO	= 2.12 KG
	= 0.472 GAL
	= 0.4889 METROS CÚBICOS
	= 17.166 PIES CÚBICOS
	= 11365 KCCAL
	= 45099 BTU
	= 1.785 LITROS
1 METRO CÚBICO	= 35.3165 PIES CÚBICOS
	= 2.0454 KGS/GAS
	= 23246 KCAL
	= 92247 BTU
1 PIE CÚBICO	= 0.053 KG
	= 0.0919 LITROS
	= 658 KCAL
	= 2611 BTU
GAS PROPANO	= 2525 BTU/PIE^3
GAS BUTANO	= 3200
1 KCAL	= 3.968 BTU
1 BTU	= 0.252 KCAL
1 PULGADA	= 0 2.54 CMS
1 PIE	= 0.3048 M
1 YARDA	= 0.9144 M
1 CENTÍMETRO	= 0.3937 PULGADAS
1 METRO	= 1.0936 YARDAS
1 LIBRA	= 0.4536 KG
1 KILO	= 2.2046 LIBRAS
100° F	= 37.78°C
1 PULGADA CUADRADA	= 6.4516 CM^2
1 CM^2	= 0.155 PULG. CUADRADA
1 PSI	= 0.0703 KGS/CM^2
1 KG/CM^2	= 14.92 PSI

TABLA 3
PRESIÓN MANOMÉTRICA DE LOS GASES

TEMPERATURA °C	PROPANO kg/cm²	BUTANO kg/cm²	MEZCLA 70% BUTANO 30% PROPANO kg/cm²
-20.0	1.448	----	0.028
-10.0	2.461	----	0.506
0.0	3.782	----	1.132
5.0	4.500	0.239	1.519
10.0	5.421	0.485	1.369
15.0	6.398	0-787	2.468
20.0	7.509	1.111	3.030
25.0	8.577	1.462	3.600
30.0	9.878	1.891	4.289
40.0	12.887	2.876	5.878
45.0	14.483	3.452	6.763

COMPOSICIÓN DEL GAS NATURAL DE "PEMEX":

METANO	96.6
ETANO	1.5
PUTANO	1.1
BUTANO	0.3
PENTANO	0.3
EXANO	0.1
	100.0

Poder calorífico --------------------8,460 Kcal/m³

1.3 COMPONENTES DE LAS INSTALACIONES DE GAS.

La responsabilidad que se tiene en la instalación de los sistemas hidráulicos es diferente de aquella que se tiene para las instalaciones de gas, mientras en una instalación hidráulica la conexión con el sistema de suministro es permanente, en una instalación de gas se tiene que hacer y supervisar por un especialista y siempre está supervisada por las compañías distribuidores de gas hasta el punto de conexión (en el caso de suministro de gas natural por tubo). Para realizar las actividades relacionadas con las instalaciones internas de gas y las características de las mismas en el suministro, se debe tener apoyo en el **Reglamento de la distribución de gas**. Hacia el interior de las casas, edificios o industrias en donde se usa el gas, la responsabilidad de la instalación es del proyectista y del instalador, que puede ser un plomero.

Para establecer ciertas diferencias entre los tipos de instalaciones de gas, se pueden clasificar de acuerdo con la forma de suministro y el tipo de recipiente de almacenamiento, como:

- Instalaciones de gas natural.

- Instalaciones con recipientes estacionarios.

- Instalaciones con cilindros o recipientes portátiles.

Los materiales usados en las instalaciones de gas están regulados por el reglamento de la distribución de gas, como parte fundamental de los materiales para estas instalaciones están los siguientes elementos:

→ Tuberías.

→ Recipientes.

→ Conexiones, válvulas y llaves.

→ Reguladores.

TUBERÍAS

Se acepta una gran variedad de materiales para tuberías, algunos para instalaciones subterráneas, otros para instalaciones aéreas o para ambos tipos de instalaciones.

Algunos de estos tipos de materiales usados en las tuberías de gas son muy comunes, debido a su versatilidad, y pueden ser: **tubos de acero galvanizado (la designación comercial usada es galvanizado Ced. 40), tubo de fierro negro Ced. 40 y 80, de cobre rígido tipos L y K, de cobre flexible y de polietileno de alta densidad y manguera especial de neopreno.** Los conectores en general deben ser del mismo material que los tubos. En el caso de tubería de 2 pulgadas de diámetro o mayores, normalmente son roscadas; para algunos tamaños grandes de tubería, las uniones se hacen por soldadura, o bien, acopladas por medio de herrajes y conectores.

Los tubos de cobre o bronce, se pueden usar para instalaciones intemperie o subterráneas, pero **nunca embebidos en losas de concreto.** Los tubos de aluminio no se usan nunca en exteriores o en forma subterránea.

TUBERÍA DE ACERO GALVANIZADO (GALVANIZADO, CED. 40)

Este tipo de tubería sólo se usa por lo general en instalaciones que por limitaciones económicas requieran de poca inversión inicial, debido a su bajo costo, ya que la mano de obra es más laboriosa y comparado con otros materiales su tiempo de vida es reducido.

TUBERÍA DE FIERRO NEGRO (CED. 80)

Este tipo de tubería se usa normalmente en redes de distribución de gas natural o gas L.P., para el suministro de unidades o conjuntos habitacionales, o bien, para alimentar fábricas.

TUBERÍAS DE COBRE

Las tuberías de cobre usadas para conducción de gas deben ser resistentes a los efectos corrosivos, por lo que su grado de pureza debe ser hasta del 99.9% y se les agrega fósforo en una proporción del 0.02% para dar mayor resistencia a la corrosión. Las tuberías de este material pueden ser:

→ **Tubería de cobre rígido tipo L (Designación CRL).**

El uso de este tipo de tubería está permitido en cualquier tipo de instalaciones de aprovechamiento de gas natural o gas LP, excepto en:

- Tuberías de llenado expuestas a sobrepresiones de hasta 17.58 Kg./cm^2, que corresponden a la presión de ajuste de la válvula de seguridad para la línea de alivio.

- En instalaciones en que no se pueda proveer de una protección para los esfuerzos mecánicos a que se ven sometidas.

- Cuando no se instalen embebidas en concreto, pisos, etcétera, y estén expuestas a pesos excesivos o al paso continuo de personas.

→ **Tubería de cobre rígido tipo K (designación CRK).**

Estas tuberías tienen alta consistencia mecánica, debido al grueso de su pared, por lo que su uso se recomienda para líneas de llenado.

→ **Tubería de cobre flexible (CF).**

Este tipo de tubería se usa en instalaciones como para cilindros portátiles, donde son sencillas y económicas, y en los que la mayoría de las uniones a las conexiones correspondientes y a los aparatos de consumo se hacen por compresión.

Se especifican en instalaciones en donde prevean movimientos de equipo, esfuerzos por trabajos de mantenimiento, cambio de posición de muebles como estufas, hornos, calentadores, etcétera. La marca comercial **NACOBRE**, fabrica diferentes tipos de tuberías de cobre para instalaciones de gas natural y de gas L.P. , que son los siguientes:

TIPO L

La tubería de cobre tipo "L" marcada en color AZUL, se fabrica en dos presentaciones:

Temple rígido. En tramos rectos de 6.10 m y diámetros de 1/4 a 6" (de 6.35 a 152.4 mm).

Usos. Tomas domiciliarias, instalaciones de gas o de oxígeno a baja presión, en redes de tuberías de agua fría o caliente sometidas a presiones superiores a 125 lb/ pulg^2 (8 Kg/cm^2).

Temple flexible. En rollos de 18.30 m y diámetros comerciales de 1/4 a 3/4 (de 6.35 a 19.1 mm).

Usos. Tomas domiciliarias, tendido de redes en el subsuelo, instalaciones de gas en baja presión, aire acondicionado, refrigeración, conexión de aparatos, etcétera.

TIPO K

La tubería de cobre tipo "K" marcada en color VERDE, se fabrica solamente en temple RÍGIDO, tramos rectos de 6.10 m y diámetros comerciales de 3/8 a 2" (de 9.5 a 50.8 mm).

Usos. En instalaciones de gas a alta presión como líneas de llenado o tuberías de alta presión regulada, para tuberías de oxígeno a alta presión, aire acondicionado, refrigeración, etcétera.

CARACTERÍSTICAS Y VENTAJAS DE LAS TUBERÍAS DE COBRE "NACOBRE"

1. Ligereza de los tramos, debido al reducido espesor de su pared, lo que facilita la transportación e instalación de los mismos.

2. Su fabricación sin costura permite que las tuberías según el tipo de éstas, resistan las presiones internas de trabajo, previstas con un alto factor de seguridad.

3. Su pared interior completamente lisa permite que los fluidos, al circular, sufran un mínimo de pérdidas por fricción.

4. Su alta resistencia a la corrosión da origen a una larga vida útil de las instalaciones.

TABLA 4
USOS DIARIOS EN GAS L.P. O NATURAL

PRESIONES		
Pulg Col de Agua	0.002539	Kg/cm^2
	0.03613	$Lbs/Pulg^2$
	0.574	$Onzas/Pulg^2$
	0.0735	Pulg Col Mercurio
Pulg Col Mercurio	0.034531	Kg/cm^2
	0.4912	$Lbs/Pulg^2$
	7.85856	$Onzas/Pulg^2$
	13.595	Pulg/Col Agua
M M Col de Mercurio	0.001359	Kg/cm^2
$Onzas/Pulg^2$	0.004394	Kg/cm^2
	0.06250	$Lbs/Pulg^2$
	1.732	Pulg/Col Agua
	0.1272	Pulg/Col Mercurio
$Lbs/Pulg^2$	0.070306	Kg/cm^2
	16.0	$Onzas/Pulg^2$
	27.673	Pulg/Col agua
	2.0416	Pulg/Col M
Kg/cm^2	14.2235	$Lbs/Pulg^2$
	227.5680	$Onzas/Pulg^2$
	394.05	Pulg/Col Agua
	28.9588	Pulg/Col Mercurio

M. M. Col de Mercurio – Tomado de
760 M M = 1.0332 Kg/cm^2

MANEJO DE TUBO DE COBRE RÍGIDO

①

CORTADOR DE TUBO

HOJA DE LA NAVAJA

②

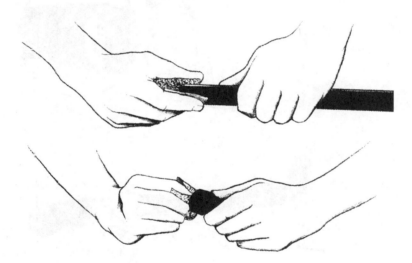

① CORTE DEL TUBO CON UN CORTADOR.

② LIJADO DEL TUBO.

③

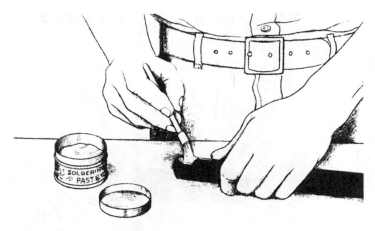

④

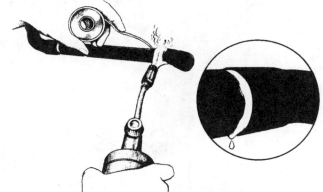

⑤

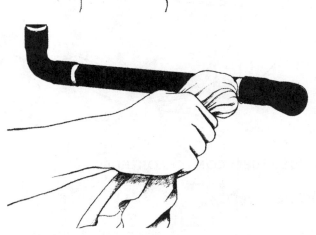

③ COLOCACIÓN DE PASTA PARA SOLDAR.

④ APLICACIÓN DE LA SOLDADURA A UNA UNIÓN TUBO-CODO.

⑤ LIMPIEZA Y ENFRIAMIENTO CON TRAPO HÚMEDO.

TABLA 5
TUBERÍA DE COBRE "NACOBRE" TEMPLE FLEXIBLE TIPO "L"

MEDIDAS NOMINALES		DIÁMETROS		GRUESO PARED	PESO EN KG. POR ROLLO
PULG.	mm.	EXT. mm.	INT. mm.	mm.	
1/4	6.35	9.525	8.001	0.762	1.563
3/8	9.5	12.700	10.922	0.889	2.457
1/2	12.7	15.875	13.843	1.016	3.534
5/8	15.78	19.050	16.916	1.067	4.490
3/4	19.1	22.225	19.939	1.143	5.641

Longitud del rollo = 18.30 m.

TABLA 6
TUBERÍA DE COBRE "NACOBRE" TEMPLE RÍGIDO TIPO "L"

MEDIDAS NOMINALES		DIÁMETROS		GRUESO PARED	PESO EN KG. POR	PRESIÓN CONSTANTE	FLUJO EN LTS./MIN.
PULG	mm.	EXT. mm.	INT. mm.	mm	TRAMO	KG/cm²	
1/4	6.35	9.525	8.001	0.762	0.520	101.23	7.089
3/8	9.50	12.700	10.922	0.889	0.818	88.57	13.483
1/2	12.70	15.875	13.843	1.016	1.177	80.98	36.336
3/4	19.10	22.225	19.939	1.143	1.880	65.09	74.940
1	25.40	28.575	26.035	1.270	2.706	56.24	132.660
1 1/4	31.80	34.925	32.131	1.397	3.652	50.61	212.560
1 1/2	38.10	41.275	38.227	1.524	4.710	46.67	450.790
2	50.60	53.975	50.419	1.778	7.231	41.68	811.120
2 1/2	63.50	66.675	62.611	2.032	10.247	38.52	1314.900
3	76.20	79.375	74.803	2.286	13.760	36.41	2829.770
4	101.60	104.770	94.187	2.794	22.231	33.74	

Longitud del tramo = 6.10 m.

TABLA 7
TUBERÍA DE COBRE "NACOBRE" TEMPLE RÍGIDO TIPO "K"

MEDIDAS NOMINALES		DIÁMETROS		GRUESO PARED mm.	PESO EN KG. POR TRAMO	PRESIÓN CONSTANTE KG./cm²	FLUJO EN LTS. /MIN.
PULG.	mm.	EXT. mm.	INT. mm.				
3/8	9.50	12.700	10.210	1.245	1.111	124.00	6.640
1/2	12.7	15.875	13.385	1.245	1.422	99.19	12.507
3/4	19.1	22.225	18.923	1.651	2.648	93.99	32.594
1"	25.4	28.575	25.273	1.651	3.466	73.11	75.042
1 1/4	31.8	34.925	31.623	1.651	4.927	59.89	132.270
1 1/2	38.1	40.640	37.617	1.829	5.619	56.02	212.240
2	50.8	53.975	49.759	2.108	8.512	49.42	454.600

Longitud del tramo = 6.10 m.

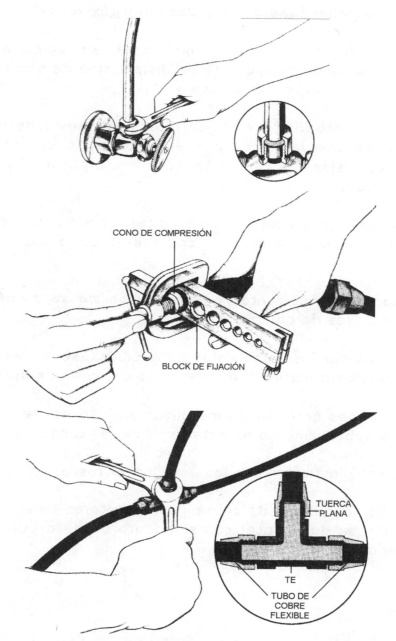

MANEJO DEL TUBO DE COBRE FLEXIBLE

① APLICACIÓN A LLAVE DE CORTE, SOLO APRETANDO AL TOPE.

② FIJACIÓN Y APLICACIÓN DEL CONO DE COMPRESIÓN.

③ UNIÓN DE TUBO FLEXIBLE CON UNA TE.

→ Tubería de polietileno de alta densidad (Extrupak).

Este tipo de tubería se usa normalmente en unidades o conjuntos habitacionales en donde se requiere de distribución de gas natural, la unión en esta tubería se hace por termofusión.

- En general, para las tuberías de plástico en sus conectores o uniones, la unión se puede hacer por el método de cemento solvente, el método de fusión con calor o termofusión, o por medio de acopladores a compresión.

- Las uniones con cemento solvente y termofusión, se deben hacer para producir uniones tan fuertes como el tubo o tubos que se están uniendo.

- Las uniones con solventes o termofusión **no se pueden** hacer entre distintas clases de plásticos.

- Las uniones por fusión de calor o mecánicas, se deben usar cuando se unan tubos de polietileno o conectores del mismo material.

- Las conexiones entre tubos metálicos y plásticos, se deben hacer sólo en forma subterránea o en exteriores de las construcciones.

- A los tubos plásticos no se les debe hacer rosca.

Para el caso de la tubería de cobre, los conectores deben ser también de cobre y la unión se debe hacer con soldadura dura, lo que significa que se debe usar soldadura de plata.

①

②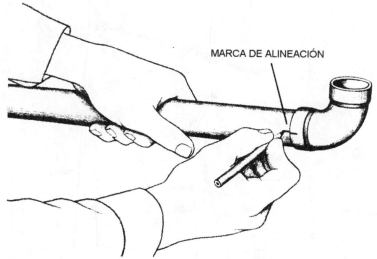

MARCA DE ALINEACIÓN

TRABAJOS CON TUBOS DE POLIETILENO

① CORTE CON ARCO Y SEGUETA USANDO FIJADOR DE ALINEACIÓN PARA EVITAR CORTES DIAGONALES.

② MARCAS DE ALINEACIÓN ENTRE TUBO Y CODO O UNIONES.

③

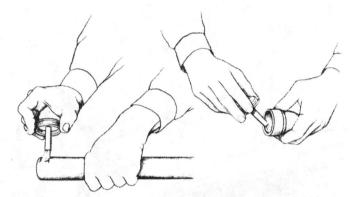

④

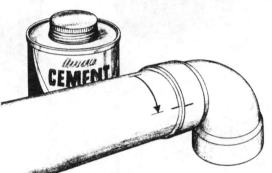

⑤

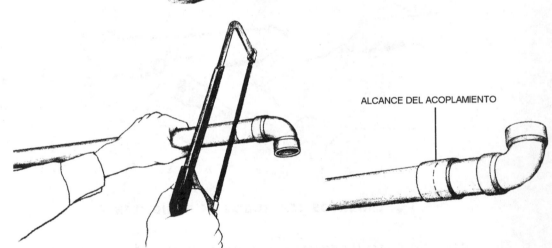

ALCANCE DEL ACOPLAMIENTO

③ APLICACIÓN DE UNA CAPA DE PRIMER ANTES DE COLOCAR EL CEMENTO DE ADHESIÓN.

④ CEMENTO COLOCADO.

⑤ CORTE CON ARCO.

INSTALACIÓN DE LAS TUBERÍAS

En las instalaciones para distribución de gas, cuando se hacen en forma subterránea, se deben colocar a suficiente profundidad para proteger al tubo del daño potencial de herramientas con filo, un mínimo deseable puede ser 15 centímetros de profundidad.

Cuando se instalan las tuberías en suelos corrosivos, los tubos se deben proteger con algún tipo de cubierta aprobada, colocada en una o dos capas, que puede ser de pintura asfáltica; en áreas donde se tienen temperaturas al punto de congelamiento, se deben hacer trincheras o zanjas debajo de la línea de congelamiento para prevenir la congelación y ruptura de los tubos.

Cuando los tubos entran a los edificios sobre el nivel del suelo, se deben aislar.

En forma ocasional, se pueden instalar las tuberías subterráneas debajo de la banqueta en el exterior de una edificación, esto se puede hacer si se cumplen las siguientes tres condiciones:

1. La longitud total de la tubería de gas debe estar contenida en un tubo conduit.

2. La terminación del conduit sobre el nivel del piso, se debe sellar para prevenir la entrada de cualquier fuga de gas a la edificación.

3. La terminación del conduit en el exterior de la edificación, se debe sellar para prevenir la entrada de agua al conduit.

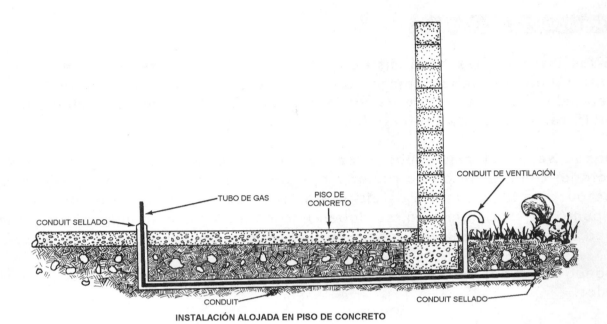

INSTALACIÓN ALOJADA EN PISO DE CONCRETO

El suministro de gas para aparatos del hogar que usan gas (estufas, hornos), cuando éstos se encuentran localizados en el centro de un local, lejos de las posibles uniones, se puede convertir en un problema, debido a que las paredes o muros no están preparados para cancelar la tubería de gas; en estos casos, la tubería de gas se debe instalar en una canalización abierta en el piso de concreto, la canalización debe tener una rejilla removible o una cubierta para permitir el acceso a la tubería.

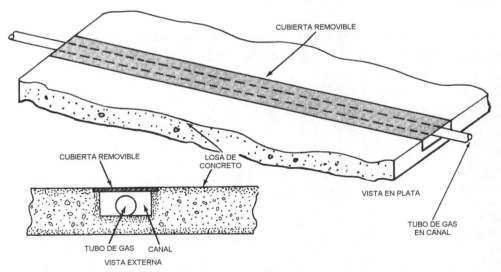

INSTALACIÓN EN CANAL ABIERTO EN PISO DE CONCRETO

Los aparatos del hogar o equipos que usan gas y que están sujetos a vibraciones o requieren de cierta movilidad, se pueden conectar con mangueras flexibles, como es el caso de la manguera especial de neopreno, que se puede usar para la conexión final de mecheros, puertos ambulantes, etcétera. La manguera de gas no debe tener un largo mayor que el necesario y no debe exceder en ningún caso a 1.80 m.

En algunos casos raros, que no se tenga disponibilidad de tubos flexibles y el suministro de gas se encuentre embebido en concreto, se puede usar otro tipo de tubería, pero cumpliendo con algunas condiciones:

1. El concreto debe tener aditivos o agregados para fraguar más rápido que el normal.

2. El tubo debe quedar embebido en tabicones de cemento con un mínimo de 1½ pulg. de concreto hacia todos los lados.

3. La tubería no debe estar en contacto con ninguna parte metálica.

4. Si el tubo pasa a través de muros de concreto, debe estar protegido contra efectos de corrosión.

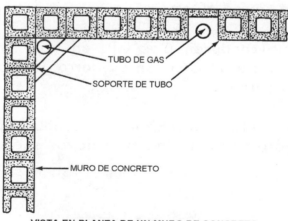

**VISTA EN PLANTA DE UN MURO DE CONCRETO
INDICANDO PASOS DE TUBERÍA**

En forma específica, **la Dirección General de Gas**, establece las siguientes recomendaciones:

☛ No se permite instalar tuberías que conduzcan gas dentro de locales habitables como baños, recámaras, cuartos de servicio, sótanos, huecos formados por plafones, cajas de cimentación, cisternas, entresuelos, debajo de pisos de madera, en cubos de elevadores, ductos de ventilación, etcétera.

☛ Cuando las tuberías que conducen gas deban adosarse horizontalmente, su altura no debe ser menor a 10 cm con respecto al nivel del piso terminado.

☛ No se permite la conexión de coples en longitudes menores a las de los tramos de la tubería de que se disponga.

Las mismas disposiciones legales recomiendan:

1. Separar las tuberías que conducen Gas L.P. un mínimo de 20 cm de las tuberías que protegen conductores eléctricos o de conductores eléctricos a la intemperie y de tuberías que conducen fluidos corrosivos o cualquier otro fluido a alta presión.

2. Cuando las tuberías que conducen Gas L.P. deban ser enterradas en jardines, patios o lugares similares, la profundidad mínima de la zanja o trinchera debe ser de 60 cm.

3. Las tuberías que conducen Gas L.P. en baja presión (hasta 27.94 gr/cm^2), podrán ser ocultas si son de fierro galvanizado cédula 40, de cobre rígido o superiores.

4. No se considera oculta una tubería que conduce gas, cuando el tramo que se utilice para atravesar muros macizos sea visible en la entrada y salida.

TABLA 8

LONGITUDES Y DIÁMETROS COMERCIALES DE TRAMOS DE TUBERÍAS PARA INSTALACIONES DE GAS L.P. O GAS NATURAL

TIPO DE TUBERÍA	LONGITUD EN M.	DIÁMETROS COMERCIALES									
		1/4	3/8	1/2	3/4	1"	1 1/2	2	2 1/2	3"	4"
TUBERÍA DE COBRE FLEXIBLE (CF.)	18.30	X	X	X							
TUBERÍA DE COBRE RÍGIDO TIPO L (CRL)	6.10		X	X	X	X	X	X	X	X	
TUBERÍA DE COBRE RÍGIDO TIPO K (CRK)	6.10			X	X						
TUBERÍA DE ACERO GALVANIZADO (GALV)	6.40			X	X	X	X	X	X	X	X
TUBERÍA DE FIERRO NEGRO (Fe No.)	6.40				X	X	X	X	X	X	X
TUBERÍA DE POLIETILENO DE ALTA DENSIDAD (ESTRUPAK)	6.00							X	X	X	X
TUBERÍA DE POLIETILENO DE ALTA DENSIDAD (ESTRUPAK)	10.00									X	X
TUBERÍA DE POLIETILENO DE ALTA DENSIDAD (ESTRUPAK)	150.00			X	X	X	X	X			

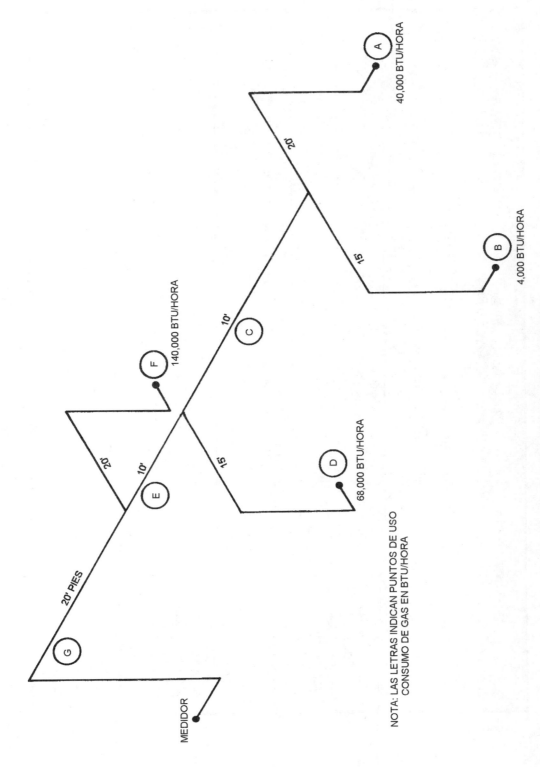

INSTALACIÓN RESIDENCIAL DE GAS NATURAL

NOTA: LAS LETRAS INDICAN PUNTOS DE USO
CONSUMO DE GAS EN BTU/HORA

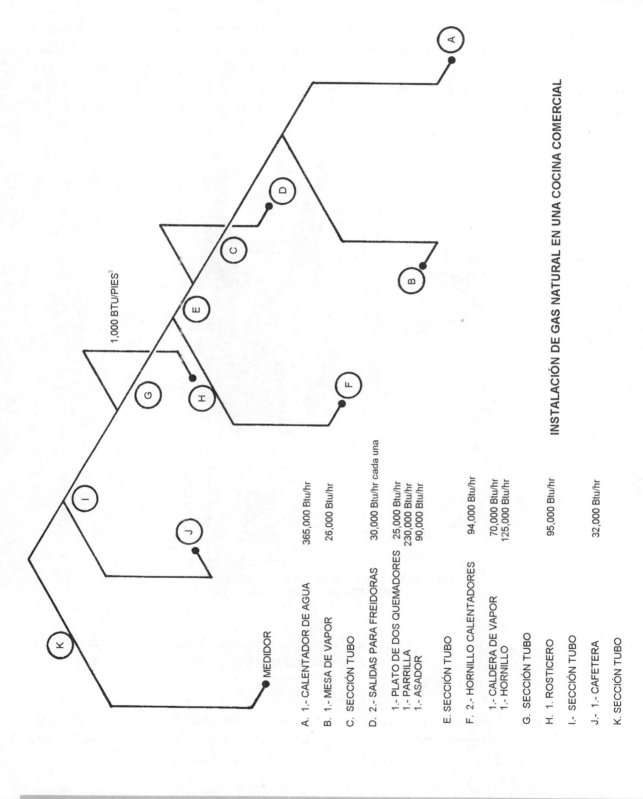

1,000 BTU/PIES³

INSTALACIÓN DE GAS NATURAL EN UNA COCINA COMERCIAL

MEDIDOR

A. 1.- CALENTADOR DE AGUA   365,000 Btu/hr

B. 1.- MESA DE VAPOR   26,000 Btu/hr

C. SECCIÓN TUBO

D. 2.- SALIDAS PARA FREIDORAS   30,000 Btu/hr cada una

1.- PLATO DE DOS QUEMADORES   25,000 Btu/hr
1.- PARRILLA   230,000 Btu/hr
1.- ASADOR   90,000 Btu/hr

E. SECCIÓN TUBO

F. 2.- HORNILLO CALENTADORES   94,000 Btu/hr

1.- CALDERA DE VAPOR   70,000 Btu/hr
1.- HORNILLO   125,000 Btu/hr

G. SECCIÓN TUBO

H. 1. ROSTICERO   95,000 Btu/hr

I.- SECCIÓN TUBO

J.- 1.- CAFETERA   32,000 Btu/hr

K. SECCIÓN TUBO

RECIPIENTES

Los sistemas de gas natural alimentan directamente a las áreas de consumo y sólo registran el volumen de gas consumido por medio de un medidor, pero no requieren de ningún medio de almacenamiento, este medio de suministro se usa en algunas casas-habitación, unifamiliares y también para alimentar conjuntos habitacionales en donde se emplea un medidor por cada departamento.

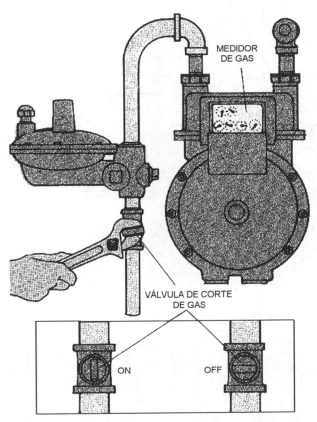

VÁLVULA DE GAS Y MEDIDOR PARA CONEXIÓN A SUMINISTRO DE GAS NATURAL

El gas L.P. para su almacenamiento, transporte, distribución y utilización, a diferencia del gas natural, requiere de medios de almacenamiento que se pueden clasificar como sigue:

Grupo 1. Son tanques de almacenamiento destinados a las plantas distribuidoras de gas y a las estaciones de gas, para los vehículos que usan al gas como combustible.

Grupo 2. A este grupo pertenecen los recipientes para uso doméstico, comercial e industrial, como son:

    a) Los tanques estacionarios.

    b) Los tanques o cilindros portátiles.

    c) Los pequeños recipientes manuales, como los usados para lámparas, manuales, etcétera.

Grupo 3. Son los recipientes o tanques que se usan para el transporte del gas L.P., como son: Autotanque, remolques-tanque, etcétera.

Grupo 4. A este grupo pertenecen sólo los tanques o recipientes que se usan en vehículos que consumen gas como combustible.

LOS RECIPIENTES ESTACIONARIOS

Se denominan así porque tienen una posición fija en el sitio o área de su instalación, debido a su volumen, forma y peso. Se llenan por medio de carros-tanque o pipas en el propio sitio, por medio de una instalación hecha especialmente para esto, que debe tener: una válvula de servicio con maneral fijo, con indicador de máximo llenado y tubo de profundidad con deflector y medidor de nivel de líquido.

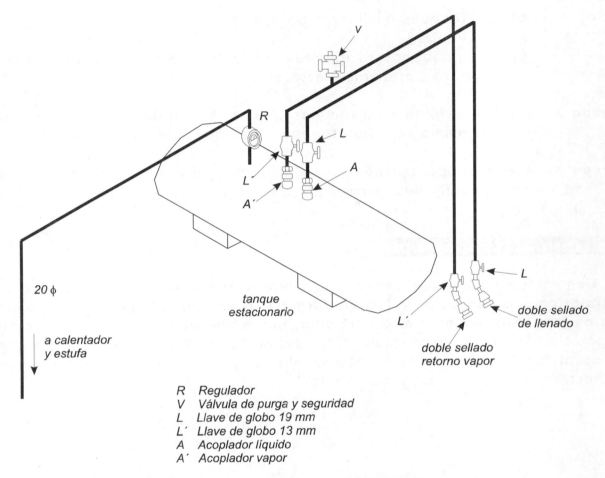

R   Regulador
V   Válvula de purga y seguridad
L   Llave de globo 19 mm
L´ Llave de globo 13 mm
A   Acoplador líquido
A´ Acoplador vapor

DIAGRAMA BÁSICO DE INSTALACIÓN DE UN TANQUE ESTACIONARIO

DIAGRAMA DE UNA INSTALACIÓN DE GAS LP PARA USO DOMÉSTICO PARA VARIOS SERVICIOS

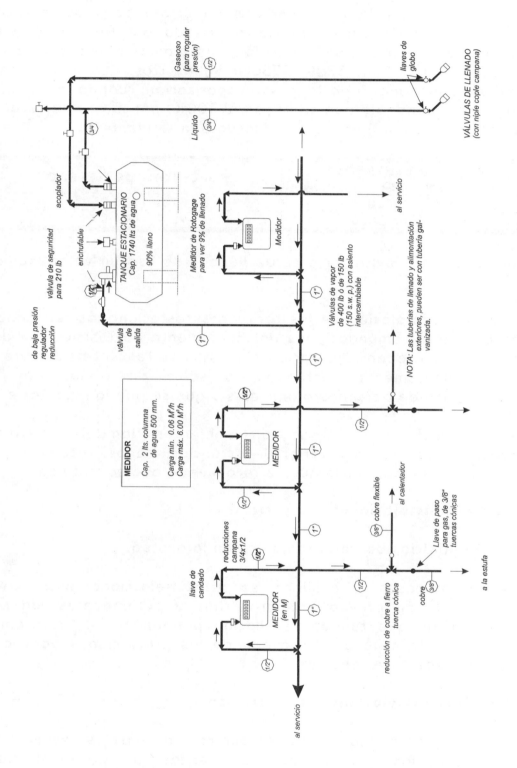

Existen distintas capacidades (medidas en litros) para estos recipientes estacionarios, que dependen en cierta medida del fabricante y que se seleccionan de acuerdo a su aplicación, las más comunes son: 300, 500, 1000, 1500, 1800, 1950, 3200, 3750 y 5000 litros. Como los tanques o recipientes tienen una capacidad de vaporización cuando almacenan gas L.P., no es recomendable que se llenen al 100%, por lo que se recomiendan los máximos valores de llenado de acuerdo a lo siguiente:

CAPACIDAD DEL TANQUE (LITROS)	PORCENTAJE DE LLENADO
300 – 5000	87.8 - 88.9%
Mayores de 5000	92.9 - 94.0%

En la práctica, para evitar errores de llenado se usa un valor promedio de 83.4%.

En cuanto a la instalación de los recipientes estacionarios, en general, de acuerdo con las recomendaciones del Reglamento de Distribución del Gas, los recipientes se deben localizar en sitios que se tenga certidumbre de que están convenientemente ventilados, a salvo de daños por golpes, vibraciones, paso de personas o animales y que se puedan montar en firme.

No deben instalarse en áreas con ambientes flamables, corrosivos o explosivos, tampoco en el interior de estancias, baños, recámaras, debajo de escaleras, etcétera, por lo que se recomienda que se instalen:

→ **Para instalaciones domésticas:**

- En edificios de departamentos en la azotea.

- En las casas unifamiliares se puede seleccionar entre: la azotea cuando se provea escaleras fijas y permanentes, en patios y jardines que tengan ventilación permanente y preferentemente den a la calle y se provean de las protecciones adecuadas, en terrazas y azotehuelas.

→ **Para instalaciones comerciales:**

- En general, se deben cumplir con las mismas recomendaciones para las instalaciones domésticas y, adicionalmente, las siguientes:

- Cuando la instalación comercial se encuentre en zonas densamente pobladas o concurridas y los requerimientos de capacidad exceden a los 5000 litros, se deben adoptar medidas de seguridad adicionales.

- Cuando existan riesgos potenciales por problemas de ventilación, se deben construir bardas u otros medios que encaucen la ventilación hacia zonas no peligrosas.

Estos recipientes estacionarios en el rango de 250 o 5000 litros, están diseñados para una presión de 141 Kg./cm^2 y, cuando se instalan, la separación de los mismos debe estar de acuerdo a lo siguiente:

→ Hasta 5000 litros de capacidad – mínimo: 1.00 m.

→ Mayores de 5000 litros de capacidad – mínimo: 1.50 m.

TABLA 9
CAPACIDADES Y DIMENSIONES PARA RECIPIENTES ESTACIONARIOS

CAPACIDAD	KG DE GAS	MEDIDAS EN METROS				
Litros	(0.560)	A	B	C	D	E
300	151	0.61	1.17	0.47	0.35	0.89
500	252	0.61	1.93	1.04	0.35	0.89
1000	504	0.76	2.41	1.10	0.41	1.05
1500	756	0.94	2.44	1.13	0.48	1.22
1950	983	0.94	2.53	1.15	0.48	1.33
3220	1613	1.04	4.05	2.30	0.48	1.33
3700	1865	1.04	4.62	2.60	0.48	1.33
5000	2520	1.17	4.89	3.66	0.49	1.50

TABLA 10
DATOS SOBRE TANQUES ESTACIONARIOS

CAPACIDAD		MEDIDAS		TARA	DIST. ENTRE PATAS	
Litros	Kilogramos	Diámetro	Largo	Kilogramos	Lateral	Horizontal
3000	151	61	118	200	28	56
500	252	61	189	160	28	102
1000	504	76	197	250	32	102
1550	781	94	243	257	43	92
1713	960	94	272	496	42	122
3060	1700	104	403	824	43	190
3785	2120	116	374	1200	43	190
4330	2425	104	553	------	43	340

Las presiones mínimas de diseño y capacidades de los recipientes son:

→ Portátiles: 16.5 Kg/cm^2 hasta 200 lts.
→ Estacionarios: 14.06 Kg/cm^2 hasta 200 lts.

Los tanques con capacidad se surten con regulador.

LOS RECIPIENTES PORTÁTILES

Este tipo de recipientes puede ser de uso doméstico o comercial y son aquellos que por su forma, peso y dimensiones, se pueden mover fácilmente para su traslado, cambio y llenado en las estaciones de gas, por lo general trabajan a una presión regulada alta, que está en el rango de 2 a 12 Kg/cm^2, y se fabrican en capacidades de 20, 30 y 45 Kg.

Este tipo de recipientes, también conocidos como *cilindros*, tienen un gran uso en casas unifamiliares y en edificios de departamentos, en menor grado también en algunas instalaciones comerciales de pequeño tamaño.

Como regla general, la localización de los recipientes portátiles en las instalaciones domésticas, se debe hacer en lugares en donde se disponga de las mejores condiciones de ventilación natural y se cuente con el espacio necesario para que los operarios puedan hacer las maniobras de conexión e instalación sin riesgos.

En los edificios de departamentos, estos tanques o recipientes portátiles se deben instalar de preferencia en las azoteas, procurando que no exista paso de personas o acceso de las mismas y en áreas en donde los problemas relacionados con sismos no causen riesgos.

En las instalaciones domésticas para casas-habitación, se deben instalar siempre en los lugares donde se cuente con las mejores condiciones de ventilación y espacio suficiente, en áreas como:

→ Azoteas con acceso seguro.

→ Patios o jardines que den a la calle.

→ Terrazas.

→ En azotehuelas o cubos de luz con áreas no menores de 9 m².

Los tanques o recipientes portátiles *localizados en instalaciones comerciales*, deben cumplir como regla general con las recomendaciones dadas para las instalaciones de tipo doméstico para los recipientes portátiles y adicionalmente con las siguientes:

☞ No instalar los cilindros en lugares donde hay tráfico de personas y que sean el único acceso y desalojo del local.

☞ Para cambiar los cilindros, cuando sea necesario, no se debe transitar con ellos por lugares donde existan personas o público, pero su instalación se debe hacer en un lugar de acceso directo y fácil.

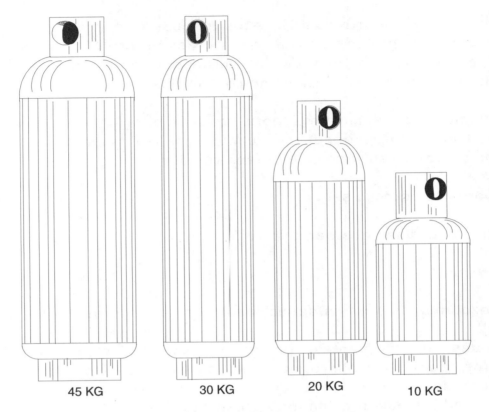

45 KG   30 KG   20 KG   10 KG

CAPACIDADES DE RECIPIENTES PORTÁTILES

CONEXIONES

En las instalaciones de gas, en forma semejante a las instalaciones hidráulicas, siempre que se use tubería, llaves y accesorios, es necesario que se hagan conexiones, como se ha indicado antes, dependiendo del material usado para la tubería es el material requerido para la conexión y la forma de efectuar ésta; sin embargo, hay algunas reglas generales para la instalación de los equipos y aparatos de consumo, como son las estufas de gas, hornos y calentadores de agua.

Unión y derivación de tuberías de cobre con conexiones de bronce, latón y cobre:

→ En las reducciones tipo campana, siempre se indica primero el diámetro que corresponde a la mayor medida de la unión o conexión.

➜ Codos normales, son los que tienen ambos extremos de una sola medida y aquí sólo se indica su diámetro y si se trata de codos de 45 ó 90°.

➜ Cuando los codos son reducidos, siempre se indica primero el diámetro mayor.

➜ En virtud de que los codos sólo se fabrican con rosca, se les denomina codos con rosca y sólo se indica si la rosca es interior o exterior.

➜ Las conexiones T son muy usadas en las instalaciones de gas y su variante principal se encuentra en la boca de conexión, que puede ser:

- Con tres bocas de la misma medida.

- Con tres bocas, dos de diferentes medidas, en este caso, se especifican primero las bocas laterales por su medida.

- Con rosca de la misma medida.

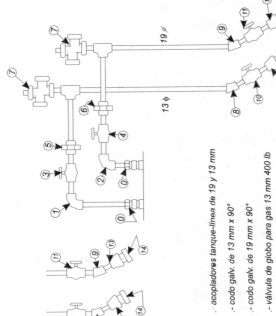

CONEXIONES PRINCIPALES EN INSTALACIONES DE GAS CON TUBO DE ACERO GALVANIZADO

⓪ .- acopladores tanque-línea de 19 y 13 mm
① .- codo galv. de 13 mm x 90°
② .- codo galv. de 19 mm x 90°
③ .- válvula de globo para gas 13 mm 400 lb
④ .- válvula de globo para gas 19 mm 400 lb
⑤ .- universal galv. de 13 mm
⑥ .- universal galv. de 19 mm
⑦ .- válvula de alivio de 19 mm
⑧ .- codo galv. de 13 mm x 450
⑨ .- codo galv. de 13 mm x 450
⑩ .- idem núm. 3
⑪ .- idem núm. 4
⑫ .- reducción campana galv. de 19 mm x 13 mm
⑬ .- reducción campana galv. de 38 mm x 19 mm
⑭ .- acoplador "check" de llenado-VÁLVULAS DE GAS LÍQUIDO Y VAPOR DE 32 y 15 mm

① .- te galv. de 19 mm.
② .- niple galv. de 19 mm x 75 mm
③ .- universal galv. de 19 mm
④ .- codo galv. de 13 mm x 90°
⑤ .- niple galv. de 13 mm x 75 mm
⑥ .- universal galv. de 13 mm
⑦ .- bushing negro de 19 x 13 mm
⑧ .- llave cuadra con portacandado de 13 mm

DESIGNACIÓN PARA CONEXIONES GAS LP STRAMLINE
(MEDIDAS EN MILÍMETROS)

CU-500

CODO UNIÓN DE 90° FLARE MACHO A FLARE HECHO

6 x 6

8 x 8

10 x 10

13 x 13

CT-501

CODO TERMINAL DE 90° FLARE MACHO A TUBO MACHO

6 x 3	8 x 13
6 x 6	10 x 6
8 x 3	10 x 10
8 x 6	10 x 13

TU-600

TE UNIÓN
FLARE MACHO A FLARE MACHO A TUBO MACHO

6 x 6 x 6	8 x 8 x 8
10 x 10 x 10	13 x 13 x 13

TTC-601

TE TERMINAL AL CENTRO
FLARE MACHO A FLARE MACHO A TUBO MACHO

6 x 6 x 3	6 x 6 x 6
8 x 8 x 3	8 x 8 x 6
10 x 10 x 3	10 x 10 x 6

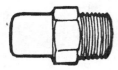

E-400

ESPREA PARA QUEMADOR

Perforación 0.793

Rosca de tubo macho 2.18

BARRIL

B-800

4
6
8
10
13

TUERCA DE COMPRESIÓN

4
6
8
10
13

TB-801

NU-200   T-100

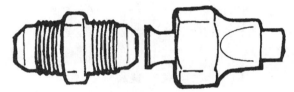

T-102

VÁLVULA DE PASO UNIÓN

VPU-900

**FLARE MACHO
A FLARE
MACHO**

6 x 6

8 x 8

10 x 10

13 x 13

**TAPÓN PARA CONEXIÓN FLARE
HEMBRA**

6

10

13

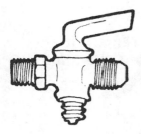

VPT-1000

VÁLVULA DE PASO TERMINAL
FLARE MACHO A TUBO MACHO

(8 x 6)	516 x 14
(10 x 6)	38 x 14
(13 x 10)	12 x 38

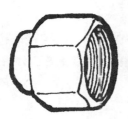

T-100

TUERCA CÓNICA
FLARE HEMBRA A TUBO DE COBRE

316 x 316 – (5 x 5)

14 x   14 – (6 x 6)

516 x 916 – (8 x 8)

38 x 38 – (10 x 10)

12 x 12 – (13 x 13)

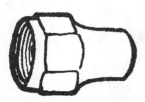

TR-101

TUERCA REDUCIDA
FLARE HEMBRA A TUBO DE COBRE

516 x 14

38 x 516 (10 x 8)

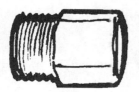

TI-102

TUERCA INVERTIDA
FLARE MACHO A TUBO DE COBRE

516 x 516 (8 x 8)

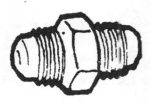

UN-200

NIPLE UNIÓN
FLARE MACHO A FLARE MACHO

5 x 5	10 x 8
6 x 6	10 x 10
8 x 6	12 x 10
8 x 8	13 x 13

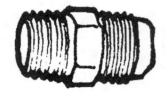

NT-201

NIPLE TERMINAL
FLARE MACHO A TUBO MACHO

5 x 5	8 x 10	13 x 13
6 x 3	8 x 13	
6 x 6	10 x 3	
6 x 10	10 x 6	
8 x 3	10 x 10	
8 x 6	10 x 13	
13 x 10	13 x 6	

NIPLE AUMENTO
O CAMPANA NIPLE

(Las mismas medidas de la anterior)
FLARE MACHO A TUBO HEMBRA

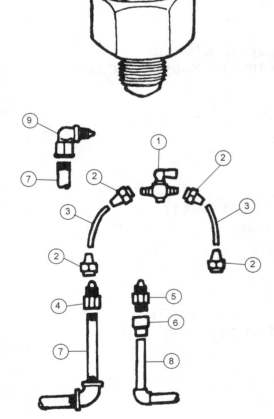

CONEXIONES DE GAS A CALENTADOR O ESTUFA

1. Válvula para gas de 10 mm c. ac.

2. Tuerca cónica de 10 mm.

3. Tubo cobre flexible de 10 mm.

4. Conector rosca interior 13 mm a 10 mm tuerca cónica.

5. Niple terminal rosca ext. 13 mm a 10 mm tuerca cónica.

6. Conector de 13 mm CR.

7. Tubo galv. de 13 mm.

8. Tubo cobre rígido de 13 mm tipo "L".

9. Codo 90° rosca int. de 13 mm a 10 mm tuerca cónica.

VÁLVULAS Y LLAVES

Existen distintos tipos de llaves y válvulas usadas en las instalaciones de gas, su uso generalmente se asocia al tipo de recipiente por utilizar, así por ejemplo: para los cilindros o recipientes portátiles, se usan **válvulas de operación manual de paso** para el llenado de los recipientes con gas L.P. y para suministrar el gas a las instalaciones de servicio. Este tipo de válvulas trae incorporada una válvula de seguridad, cuya función es proteger a los recipientes en el caso que se presenten sobrepresiones interiores peligrosas. Estas válvulas, la de paso y la de seguridad, tienen un diseño que no permite que estén en contacto con el gas líquido y sólo con la zona de vapor, por lo que es importante que los recipientes portátiles que contienen gas deben estar en posición vertical.

LLAVES DE PASO

A estas llaves, también se les conoce como llaves de corte con maneral de cierre manual, se instalan para el control de servicio en forma individual en cada aparato o equipo de consumo, o bien, en ciertas secciones de la instalación.

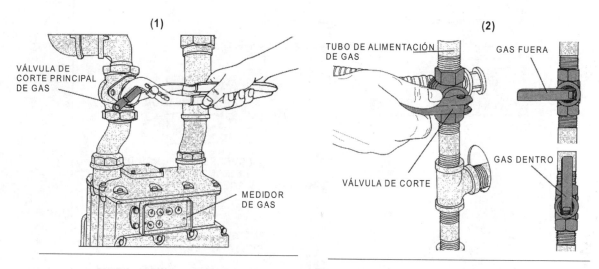

(1)

VÁLVULA DE CORTE PRINCIPAL DE GAS

MEDIDOR DE GAS

(2)

TUBO DE ALIMENTACIÓN DE GAS

GAS FUERA

VÁLVULA DE CORTE

GAS DENTRO

EN LAS INSTALACIONES DE GAS NATURAL SE COLOCAN VÁLVULAS DE CORTE EN LA ALIMENTACIÓN (1) Y EN LA ALIMENTACIÓN AL CALENTADOR DE GAS (2); ESTAS VÁLVULAS SON DE SEGURIDAD CUANDO SE DETECTAN FUGAS O SE HACEN REPARACIONES.

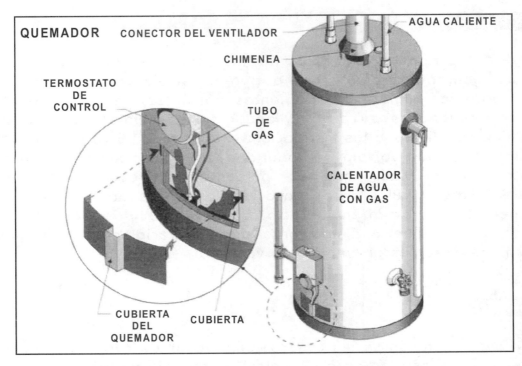

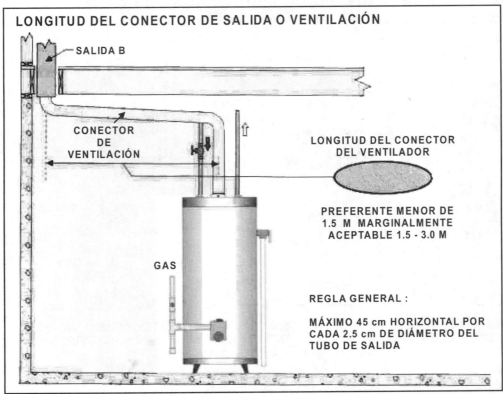

INSTALACIÓN DE UN CALENTADOR DE GAS

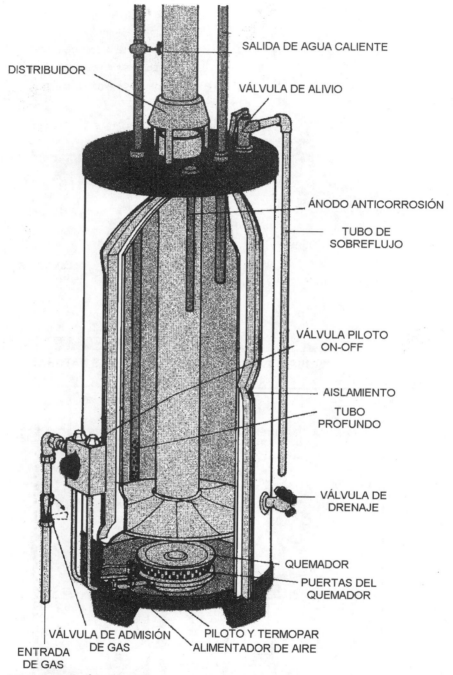

DISTRIBUIDOR

SALIDA DE AGUA CALIENTE

VÁLVULA DE ALIVIO

ÁNODO ANTICORROSIÓN

TUBO DE
SOBREFLUJO

VÁLVULA PILOTO
ON-OFF

AISLAMIENTO

TUBO
PROFUNDO

VÁLVULA DE
DRENAJE

QUEMADOR

PUERTAS DEL
QUEMADOR

VÁLVULA DE ADMISIÓN
DE GAS

ENTRADA
DE GAS

PILOTO Y TERMOPAR

ALIMENTADOR DE AIRE

ALIMENTACIÓN DE GAS Y PARTES DE UN CALENTADOR DE GAS

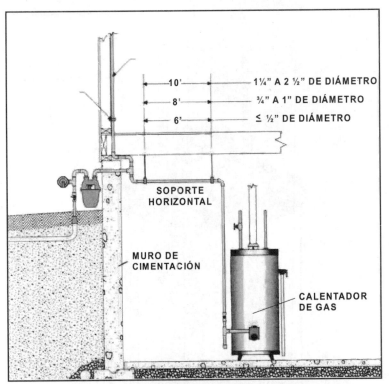

10'   —   1¼" A 2 ½" DE DIÁMETRO
8'   —   ¾" A 1" DE DIÁMETRO
6'   —   ≤ ½" DE DIÁMETRO

SOPORTE HORIZONTAL

MURO DE CIMENTACIÓN

CALENTADOR DE GAS

TUBERÍA PARA ALIMENTACIÓN DE GAS NATURAL

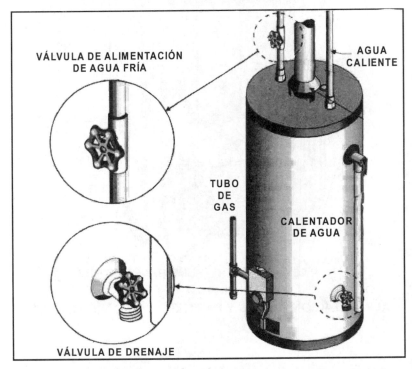

VÁLVULA DE ALIMENTACIÓN DE AGUA FRÍA

AGUA CALIENTE

TUBO DE GAS

CALENTADOR DE AGUA

VÁLVULA DE DRENAJE

LOCALIZACIÓN DE VÁLVULAS EN UN CALENTADOR DE AGUA

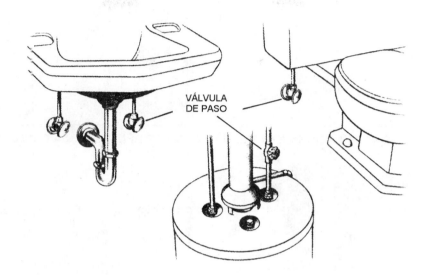

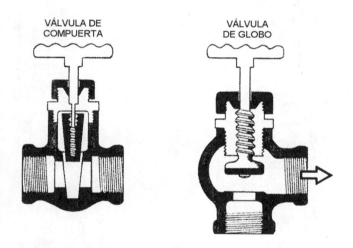

① PUNTOS DE INSTALACIÓN DE VÁLVULAS DE PASO.

② VÁLVULAS DE COMPUERTA O DE GLOBO.

Para la instalación de recipientes portátiles y de algunos aparatos de consumo, se usa un tramo espiral de tubo de cobre flexible, que se conoce como PIGTEL, un extremo se conecta a la válvula de servicio y el otro (que usa tuerca estándar) a un lado del regulador.

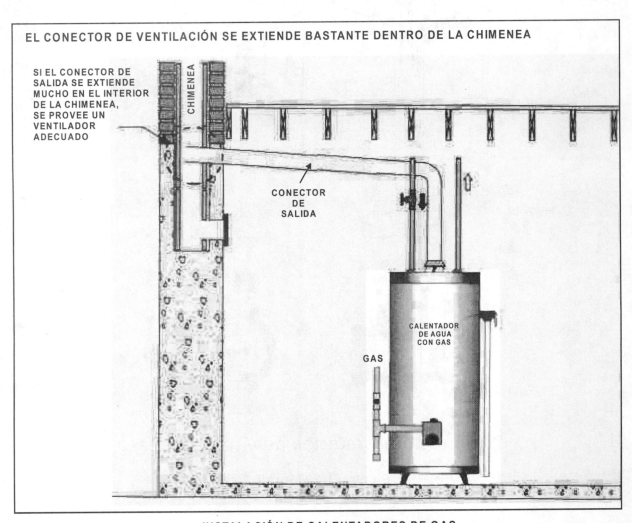

EL CONECTOR DE VENTILACIÓN SE EXTIENDE BASTANTE DENTRO DE LA CHIMENEA

SI EL CONECTOR DE
SALIDA SE EXTIENDE
MUCHO EN EL INTERIOR
DE LA CHIMENEA,
SE PROVEE UN
VENTILADOR
ADECUADO

CHIMENEA

CONECTOR
DE
SALIDA

CALENTADOR
DE AGUA
CON GAS

GAS

INSTALACIÓN DE CALENTADORES DE GAS

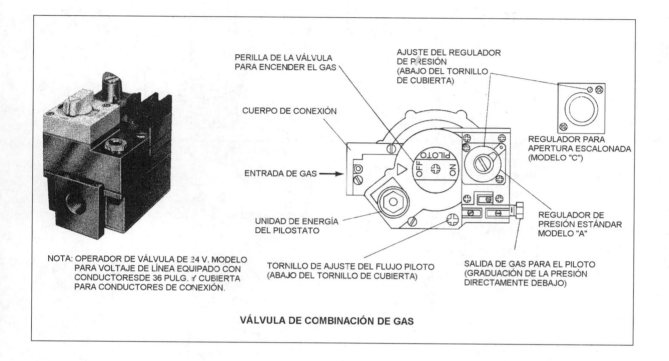

NOTA: OPERADOR DE VÁLVULA DE 24 V. MODELO PARA VOLTAJE DE LÍNEA EQUIPADO CON CONDUCTORESDE 36 PULG. Y CUBIERTA PARA CONDUCTORES DE CONEXIÓN.

PERILLA DE LA VÁLVULA PARA ENCENDER EL GAS

CUERPO DE CONEXIÓN

ENTRADA DE GAS

UNIDAD DE ENERGÍA DEL PILOSTATO

AJUSTE DEL REGULADOR DE PRESIÓN (ABAJO DEL TORNILLO DE CUBIERTA)

REGULADOR PARA APERTURA ESCALONADA (MODELO "C")

REGULADOR DE PRESIÓN ESTÁNDAR MODELO "A"

TORNILLO DE AJUSTE DEL FLUJO PILOTO (ABAJO DEL TORNILLO DE CUBIERTA)

SALIDA DE GAS PARA EL PILOTO (GRADUACIÓN DE LA PRESIÓN DIRECTAMENTE DEBAJO)

VÁLVULA DE COMBINACIÓN DE GAS

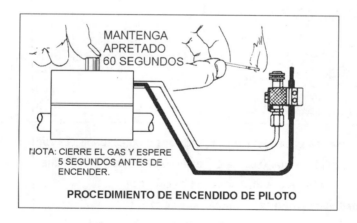

MANTENGA APRETADO 60 SEGUNDOS

NOTA: CIERRE EL GAS Y ESPERE 5 SEGUNDOS ANTES DE ENCENDER.

PROCEDIMIENTO DE ENCENDIDO DE PILOTO

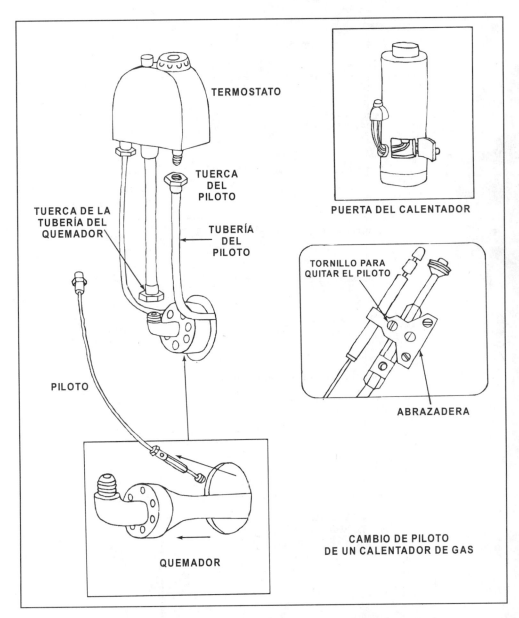

TERMOSTATO

TUERCA
DEL
PILOTO

TUERCA DE LA
TUBERÍA DEL
QUEMADOR

TUBERÍA
DEL
PILOTO

PILOTO

QUEMADOR

PUERTA DEL CALENTADOR

TORNILLO PARA
QUITAR EL PILOTO

ABRAZADERA

CAMBIO DE PILOTO
DE UN CALENTADOR DE GAS

CON EL PERICO AFLOJAR EN EL TERMOSTATO LA TUERCA QUE CORRESPONDE A LA TUBERÍA DEL PILOTO.

ABRIR LA PUERTA DEL CALENTADOR. AFLOJAR EL TORNILLO DE LA ABRAZADERA QUE SUJETA AL PILOTO.

DESCONECTAR EL QUEMADOR AFLOJANDO LA TUERCA DE LA TUBERÍA.

JALAR EL QUEMADOR UNOS CENTÍMETROS Y SACAR EL PILOTO.

COLOCAR EL NUEVO PILOTO; HAGA LA CONEXIÓN AL TERMOSTATO APRETANDO LA TUERCA, INTRODUZCA LA PUNTA DEL PILOTO AL INTERIOR DEL CALENTADOR Y FÍJELO APRETANDO EL TORNILLO DE LA ABRAZADERA.

REGRESAR EL QUEMADOR A SU BASE EMPUJÁNDOLO HACIA ADENTRO Y CONECTARLO A LA TUBERÍA APRETANDO LA TUERCA.

ABRIR EL GAS Y CON JABONADURA VERIFICAR QUE NO EXISTAN FUGAS. PRENDA EL PILOTO Y ASEGURARSE QUE LA FLAMA CALIENTE EL TERMOPAR.

CAMBIO DEL TERMOPAR DE UN CALENTADOR

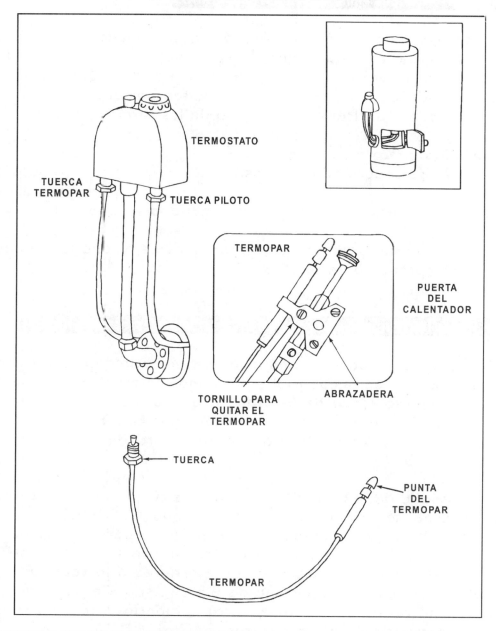

TERMOPAR ES UN ELEMENTO DE SEGURIDAD QUE CIERRA EL PASO DEL GAS CUANDO APAGA EL PILOTO.

CON EL PERICO AFLOJE LA TUERCA DE LA PARTE SUPERIOR DEL TERMOPAR, ABAJO DEL TERMOSTATO Y QUITELA.

ABRIR LA PUERTA DEL CALENTADOR. AFLOJAR EL TORNILLO DE LA ABRAZADERA QUE SUJETA EL TERMOPAR Y JALE ÉSTE HACIA AFUERA DEL CALENTADOR.

PARA COLOCAR EL TERMOPAR NUEVO SE METE LA PUNTA AL INTERIOR DEL CALENTADOR Y SE FIJA CON LA ABRAZADERA, APRETANDO EL TORNILLO. ASEGURÁRSE QUE LA FLAMA DEL PILOTO CALIENTE EL TERMOPAR. CON EL PERICO ATORNILLE EL OTRO EXTREMO DEL TERMOPAR AL TERMOSTATO.

ABRIR EL GAS Y CON JABONADURA VERIFICAR QUE LAS UNIONES NO TENGAN FUGA.

VÁLVULAS DE SERVICIO PARA RECIPIENTES ESTACIONARIOS

Estas válvulas cumplen la misma función que aquellas usadas en los recipientes o cilindros portátiles, la válvula de seguridad está interconstruida con la válvula de servicio, pero tiene un área de descarga mayor que la usada en los tanques o recipientes portátiles, estas válvulas de servicio se pueden fabricar en cualquiera de las formas siguientes:

- ☛ Con válvula de máximo llenado.
- ☛ Con válvula de seguridad interconstruida.

- ☛ Con válvula de máximo llenado y de seguridad en una sola.

Las válvulas de seguridad usadas en los tanques estacionarios deben abrir a una presión comprendida entre 12.5 y 14 Kg/cm^2.

LAS INSTALACIONES ASOCIADAS A LOS TANQUES O RECIPIENTES ESTACIONARIOS

En forma independiente de si la aplicación de un recipiente estacionario se hace para una instalación residencial o para una comercial, se requiere de lo que se conoce como la **Línea de llenado** al tanque, que es una parte de la instalación que se requiere cuando se abastece gas L.P. y por su localización no se puede hacer en forma directa con manguera del autotanque de la compañía distribuidora.

Esta línea de llenado debe cumplir con las disposiciones reglamentarias para obtener la máxima seguridad, que establece que la tubería debe ser de cobre rígido tipo K, las válvulas de globo especiales para el manejo de gas en estado líquido y para una presión de trabajo de hasta 28 Kg/cm^2, su instalación se debe hacer sobre los muros exteriores a la construcción para que sea visible, con una altura mínima de 2.50 m. sobre el nivel del suelo y separación mínima de 0.20 m. con respecto a tuberías o canalizaciones de las instalaciones eléctricas o fluidos corrosivos.

Cuando el tanque estacionario se encuentra ubicado en un lugar cercano al acceso del autotanque de la compañía suministradora, no es necesario la línea de llenado.

REGULADORES DE PRESIÓN

En los equipos o aparatos que usan gas para combustión, la flama del quemador debe ser azul, una flama de color amarillo indica una combustión incompleta, normalmente provocado por insuficiencia de aire primario; para que se tenga una combustión limpia o una flama libre de carbón, el 50% del aire de la combustión se debe mezclar con el gas antes de que éste encienda.

En el caso de las estufas de gas, hornos y calentadores, el orificio del quemador es un dispositivo de control que trabaja de acuerdo con los mismos principios de los equipos refrigerantes. La presión de alimentación y el diámetro del orificio determinan el flujo del gas, un orificio demasiado pequeño proporcionará una flama insignificante y poco calor. Rara vez se encuentra un motivo para reemplazar un orificio, la excepción es *cuando los equipos están diseñados para gas embotellado y se usa gas natural.*

En la tabla siguiente, se muestra el diámetro del orificio requerido para un cierto número de valores caloríficos, por ejemplo, si un orificio de quemador No. 48 perfora un taladro No. 44, el valor calorífico del propano cambiaría de 13.3 Kj/s a 17.7 Kj/s, debido al diámetro mayor del orificio y al aumento de flujo.

TABLA 11
TAMAÑOS DE ORIFICIOS PARA GAS L.P.
(Al nivel del mar)

TAMAÑO DE LA PERFORACIÓN	PROPANO		BUTANO	
	BTU/H	KJ/S	BTU/H	KJ/S
48	45 450	13.3	50 300	14.7
44	58 050	17	64 350	18.8
40	75 400	22.09	83 500	24.4
36	89 200	26.1	98 800	28.9
32	195 800	30.7	117 000	34.2
28	154 700	45.3	171 600	50.1

Notas:
Para propano: Btu/pie^3 = 2 500; gravedad específica = 1.6; presión en el orificio = 11 pulgadas (27.9 cm).
Para butano: Btu/pie^3 = 3 175; gravedad específica = 2; presión en el orificio = 11 pulgadas (27.9 cm).

Si un horno que quema gas L.P. como combustible se cambiara para quemar gas natural, se tendrían que hacer dos cambios, el tamaño adecuado del orificio de acuerdo a la tabla siguiente e instalar un regulador de la presión de gas en la línea de control de gas.

TABLA 12
ORIFICIOS PARA QUEMADORES DE GAS NATURAL*

TAMAÑO DE LA PERFORACIÓN	CAPACIDAD POR HORA			
	PIE³	m³	BTU/H	KJ/S
31	40.85	1.143	44.935	13.16
30	46.87	1.312	51.557	15.1
22	70.08	1.96	77.088	22.58
15	92.02	2.576	101.222	29.6
7	114.40	3.20	125.840	36.8
2	138.76	3.88	152.636	44.7
1	147.26	4.12	161.986	47.46

* Las cifras dadas son para una columna de agua de 3.5 pulg al nivel del mar. Gravedad específica = 0.6 y Btu/pie³ = 1 100 (0.029J/m³).

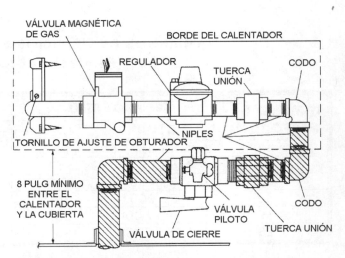

CAMBIO PARA CONVERSIÓN DE COMBUSTIBLE:
(ARRIBA) INSTALACIÓN DE ORIFICIO DE TAMAÑO APROPIADO EN LA ALIMENTACIÓN DE GAS; (ABAJO) LÍNEA DE CONTROL

PRESIÓN

La capacidad por hora de los orificios indicados en la tabla anterior, se ha elaborado con relación a una presión de alimentación de 3.5 pulg. (8.8 cm) de columna de agua, para la alimentación con gas natural, la compañía comercial suministra gas natural a una residencia a una presión de columna de agua de 8.5 pulg. (21.59 cm), que es un valor de presión muy bajo, ya que una columna de agua de 2.31 pies ejerce una presión de 1 libra/pulg^2 (6.89 kPa) en su base. Para leer la presión del gas se usa un manómetro de tubo en U.

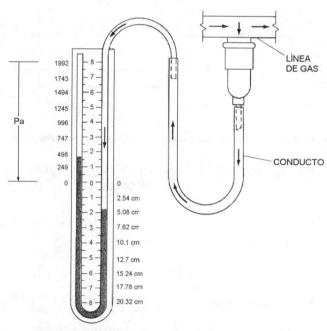

MANÓMETRO DE TUBO EN U EN QUE SE LEE 3.5 PULG (8.9 cm) EN COLUMNA DE AGUA

Cuando se usa un manómetro de tubo en U, primero se llena el tubo para mantener el cero en ambas columnas, la presión del gas corresponde a la diferencia de presión entre las dos columnas; por lo que 1.75 pulg. más 1.75 pulg. son 3.5 pulg, como se muestra en la figura anterior.

Para la alimentación con gas natural, la línea principal de gas que va por debajo de la calle puede tener mucha más presión, debido a que las plantas industriales pueden recibir gas a presiones mayores entre 0.5 lb/pulg^2 (3.4 kpa) hasta 50 lb/pulg^2 (344.7 kpa), esta línea se reduce por medio de un regulador de presión que se localiza antes del medidor de gas.

Todos los reguladores de presión de gas para equipos y aparatos, mantienen una presión constante corriente abajo, en forma independiente de las variaciones de la corriente o del flujo, como se sabe, en las líneas o tuberías de gas, mientras más largas sean éstas, mayor es la caída de presión del gas.

TABLA 13
TAMAÑO DE TUBERÍA DE GAS

TAMAÑO DE TUBO PULG.	LONGITUD, PIES					
	10	20	30	40	50	60
½	170	118	95	80	71	64
¾	360	245	198	169	150	135
1	670	430	370	318	282	255
1 ¼	1320	930	740	640	565	510
1 ½	1990	1370	1100	950	830	760
2	3880	2680	2150	1840	1610	1480

* Máxima capacidad de suministro en pies cúbicos de gas por hora de tubo IPS, conduciendo gas natural de gravedad específica de 0.65.

Para lograr una presión constante al orificio del quemador, se necesita un regulador de presión adicional al aparato.

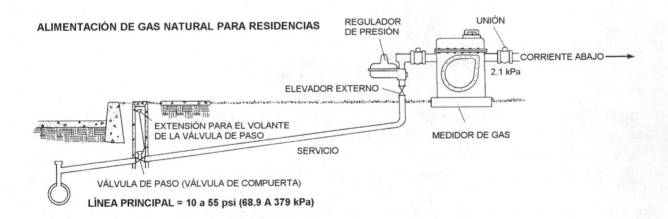

ALIMENTACIÓN DE GAS NATURAL PARA RESIDENCIAS

REGULADOR DE PRESIÓN

UNIÓN

CORRIENTE ABAJO

2.1 kPa

ELEVADOR EXTERNO

MEDIDOR DE GAS

EXTENSIÓN PARA EL VOLANTE DE LA VÁLVULA DE PASO

SERVICIO

VÁLVULA DE PASO (VÁLVULA DE COMPUERTA)

LÍNEA PRINCIPAL = 10 a 55 psi (68.9 A 379 kPa)

Los reguladores normalmente se ajustan en la fábrica de acuerdo con las especificaciones del fabricante del aparato; sin embargo, cuando es necesario, se pueden regular conectando un manómetro en la toma de la corriente del gas abajo, se quita el tapón del sello de la parte superior del regulador, se inserta un desarmador y se hace girar la tuerca en el sentido de las manecillas del reloj para que la presión aumente.

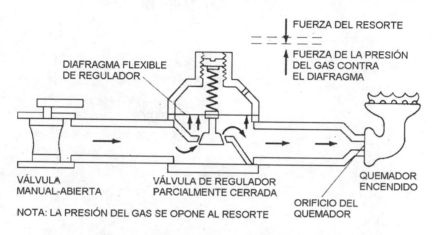

FUERZA DEL RESORTE

FUERZA DE LA PRESIÓN DEL GAS CONTRA EL DIAFRAGMA

DIAFRAGMA FLEXIBLE DE REGULADOR

VÁLVULA MANUAL-ABIERTA

VÁLVULA DE REGULADOR PARCIALMENTE CERRADA

QUEMADOR ENCENDIDO

ORIFICIO DEL QUEMADOR

NOTA: LA PRESIÓN DEL GAS SE OPONE AL RESORTE

REGULADOR DE PRESIÓN DEL QUEMADOR DE GAS

En las instalaciones con gas L.P., también se debe controlar la presión del gas para que se mantenga constante en las tuberías de servicio, entonces, además de los propios reguladores de los aparatos, se puede aplicar la regulación en dos etapas en los casos siguientes:

a)   En las instalaciones con gas estacionario, en donde se tengan sólo quemadores con alta presión, pero que no funcionen correctamente por variaciones importantes en la presión del gas, se debe instalar un regulador inmediatamente después del recipiente o tanque estacionario, que constituye el regulador de primera etapa.

b)   En las instalaciones con aparatos que operen con alta presión regulada y que también tengan quemadores a baja presión, los de alta presión se conectan a la tubería de servicio de alta presión regulada y, entonces, se instala un regulador de segunda etapa para bajar la presión a los otros aparatos.

c)   En aquellas instalaciones en conjuntos habitacionales en los que los tanques o recipientes estacionarios están distantes de los equipos y aparatos de consumo y la caída de presión hace necesario que después del recipiente se instale un regulador de alta presión, como regulador de primera etapa.

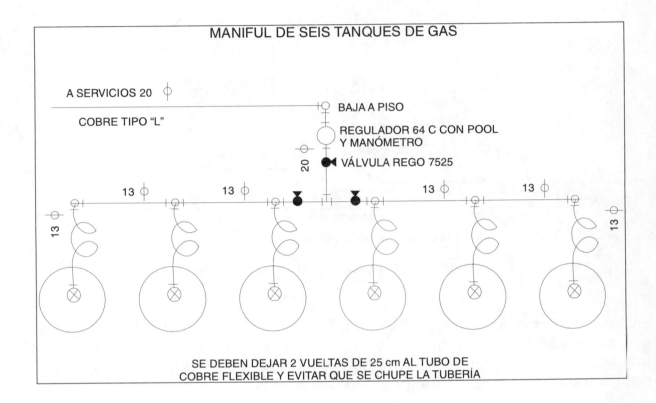

MANIFUL DE SEIS TANQUES DE GAS

A SERVICIOS 20

COBRE TIPO "L"

BAJA A PISO

REGULADOR 64 C CON POOL Y MANÓMETRO

20   VÁLVULA REGO 7525

13   13   13   13

13

13

SE DEBEN DEJAR 2 VUELTAS DE 25 cm AL TUBO DE COBRE FLEXIBLE Y EVITAR QUE SE CHUPE LA TUBERÍA

TABLA 14
SERVICIO DE PRIMERA ETAPA REGULADORES DE ALTA PRESIÓN PARA REDUCIR PRESIONES DE TANQUE HACIA 5, 10 Ó 15 LIBRAS EN INSTALACIONES DE DOBLE ETAPA

CAPACIDAD POR HORA	TAMAÑO ORIFICIO	CONEXIÓN ENTRADA	CONEXIÓN SALIDA
315,000 CAL. 14.2 m³	$\frac{1}{4}$"	$\frac{1}{4}$" FNPT O MACHO POL	$\frac{1}{2}$"
315,000 CAL. 14.2 m³	$\frac{1}{4}$"	HEMBRA POL	$\frac{1}{2}$"
330,000 CAL. 17.0 m³	$\frac{1}{4}$"	$\frac{1}{2}$" FNPT O HEMBRA POL	$\frac{1}{2}$"
1,570,000 71.0 m³	$\frac{3}{8}$"	$\frac{3}{4}$" O 1"	$\frac{3}{4}$" O 1"
3,150,000 CAL. 142 m³	$\frac{1}{2}$"	2"	2"

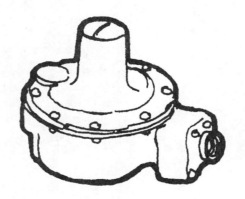

TABLA 15

REGULADORES PARA TANQUE ESTACIONARIO, SERVICIO DE ETAPA SIMPLE, REDUCIENDO LA PRESIÓN DEL TANQUE HACIA 27,9 cm. (ALTURA DE AGUA)

CAPACIDAD POR HORA	TAMAÑO ORIFICIO	CONEXIÓN ENTRADA	CONEXIÓN SALIDA
120,000 CAL 5.40 m^3	$9/64"$	HEMBRA POL	$1/2"$ O $3/4"$
210,000 CAL. 10.70 m^3	$3/16"$	HEMBRA POL	$3/4"$
430,000 CAL. 19.3 m^3	$1/4"$	HEMBRA POL	$3/4"$

INSTALACIÓN DE TANQUE DE GAS

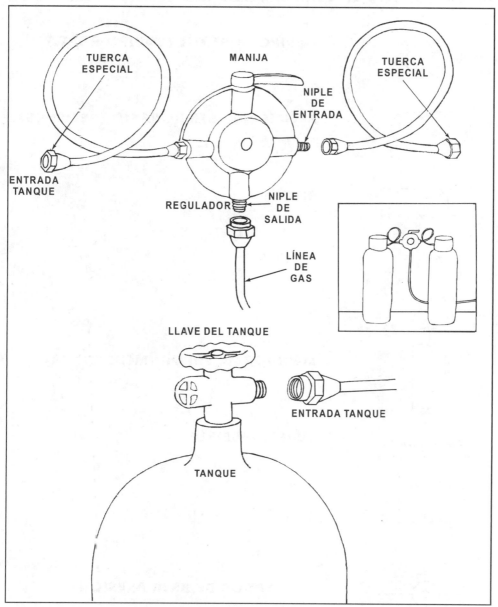

ENROLLAR LOS TUBOS DE CONEXIÓN PARA QUE ADQUIERAN FORMA ESPIRAL Y TIENEN FLEXIBILIDAD CUANDO SE MUEVAN LOS TANQUES.

CONECTAR LAS TUERCAS CÓNICAS DE LOS TUBOS A LOS NIPLES DE ENTRADA DEL REGULADOR.

CONECTAR EL NIPLE DE SALIDA DEL REGULADOR A LA LÍNEA DE GAS USANDO LA TUERCA CÓNICA DE LA LÍNEA Y AYUDÁNDOSE CON DOS PERICOS, UNO PARA SOSTENER Y OTRO PARA ATORNILLAR.

CONECTAR LOS TANQUES A LAS ENTRADAS DE LOS TUBOS ATORNILLANDO LAS TUERCAS CÓNICAS ESPECIALES, QUE SE APRIETAN HACIA LA IZQUIERDA.

ABRIR LA LLAVE DE GAS DEL TANQUE Y CON JABONADURA VERIFIQUE QUE LAS UNIONES NO TENGAN FUGA.

CUANDO TERMINE DE USAR UN TANQUE, MUEVE LA MANIJA HACIA EL OTRO Y SUSTITUYA EL VACÍO; AFLOJE LA TUERCA GIRÁNDOLA HACIA LA DERECHA.

SÍMBOLOS USADOS EN DIAGRAMAS PARA INSTALACIONES DE GAS

EQUIPO PORTÁTIL (EQUIPO PORT.)

RECIPIENTE ESTACIONARIO (RECIP. EST.)

RIZO

OMEGA

MEDIDOR DE VAPOR (MED. VAPOR)

TUBERÍA VISIBLE

TUBERÍA OCULTA

REGULADOR DE BAJA PRESIÓN
(REG. B. P.)

REGULADOR DE ALTA PRESIÓN
(REG. A. P.)

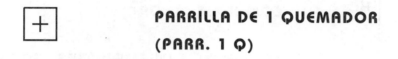

LLAVE DE PASO

PARRILLA DE 1 QUEMADOR
(PARR. 1 Q)

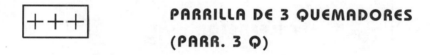

PARRILLA DE 2 QUEMADORES
(PARR. 2 Q)

PARRILLA DE 3 QUEMADORES
(PARR. 3 Q)

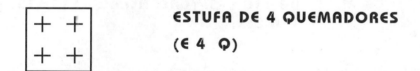

PARRILLA DE 4 QUEMADORES
(PARR. 4 Q)

ESTUFA DE 4 QUEMADORES
(E 4 Q)

ESTUFA DE 4 QUEMADORES Y HORNO
(E 4 QH)

HR — **ESTUFA DE 4 QUEMADORES, HORNO Y ROSTICERO (E 4 QHR).**

HC — **ESTUFA DE 4 QUEMADORES, HORNO Y COMAL (E 4 QHC)**

HRC — **ESTUFA DE 4 QUEMADORES, HORNO, ROSTICERO Y COMAL (E 4 QHRC)**

HORNO DOMÉSTICO

CALEFACTOR

CALENTADOR DE ALMACENAMIENTO DE MENOS DE 110 LTS. (CAL. ALM. < 110 LTS. O CA < 110 LTS.)

CALENTADOR DE ALMACENAMIENTO DE MÁS DE 110 LTS. (CAL. ALM. > 110 LTS. O CA > 110 LTS.).

CALENTADOR DE ALMACENAMIENTO DÚPLEX (CA 2).

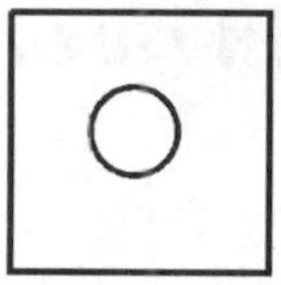

CALENTADOR DE AGUA AL PASO

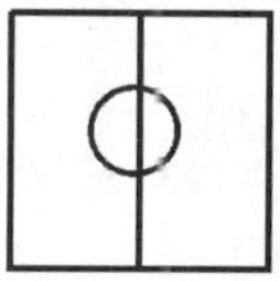

CALENTADOR DOBLE AL PASO

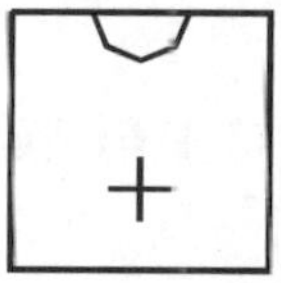

VAPORERA O BAÑO MARÍA

CAFETERA COMERCIAL

TORTILLADORA SENCILLA

TORTILLADORA DOBLE

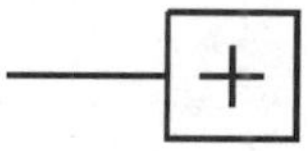

QUEMADOR BUNSEN (Q. BUNSEN)

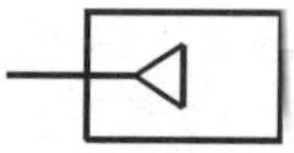

CALDERA CON QUEMADOR
ATMOSFÉRICO

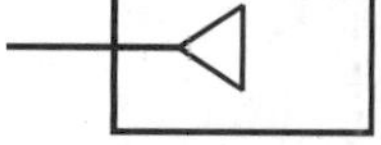

HORNO INDUSTRIAL CON QUEMADOR
ATMOSFÉRICO (H. IND. C/Q. ATMOSF.)

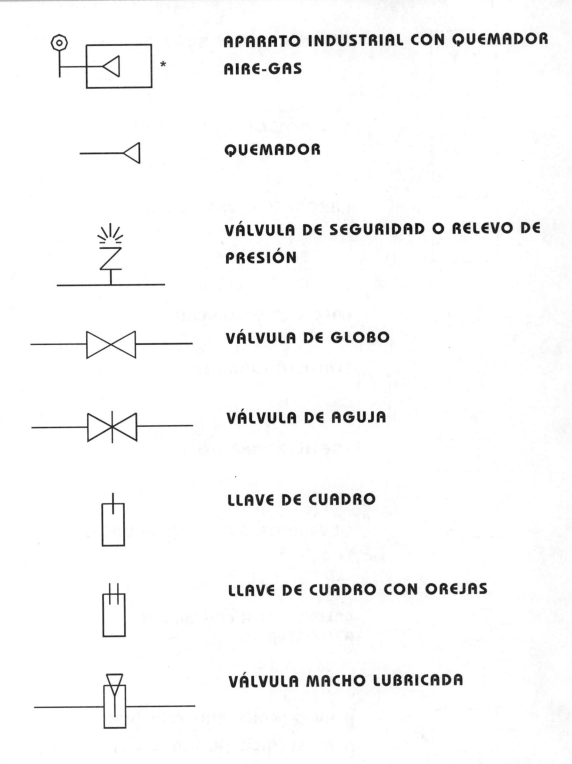

APARATO INDUSTRIAL CON QUEMADOR
AIRE-GAS

QUEMADOR

VÁLVULA DE SEGURIDAD O RELEVO DE
PRESIÓN

VÁLVULA DE GLOBO

VÁLVULA DE AGUJA

LLAVE DE CUADRO

LLAVE DE CUADRO CON OREJAS

VÁLVULA MACHO LUBRICADA

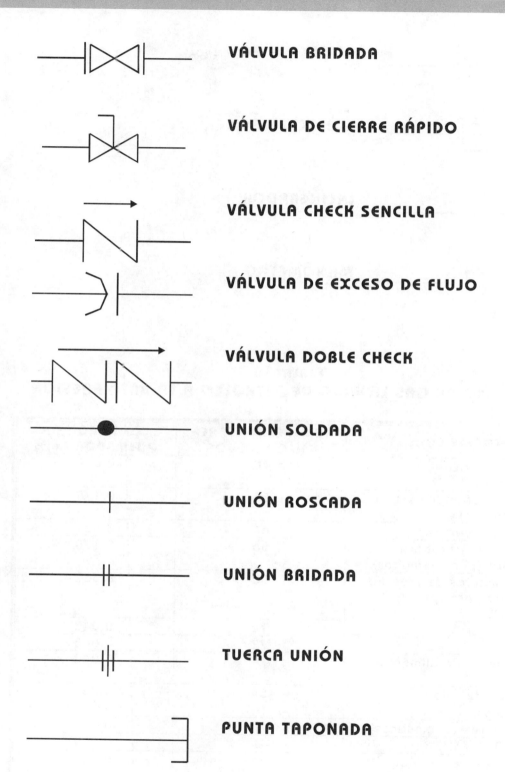

VÁLVULA BRIDADA

VÁLVULA DE CIERRE RÁPIDO

VÁLVULA CHECK SENCILLA

VÁLVULA DE EXCESO DE FLUJO

VÁLVULA DOBLE CHECK

UNIÓN SOLDADA

UNIÓN ROSCADA

UNIÓN BRIDADA

TUERCA UNIÓN

PUNTA TAPONADA

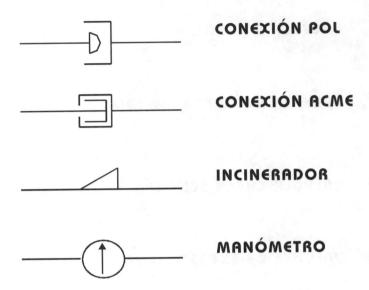

CONEXIÓN POL

CONEXIÓN ACME

INCINERADOR

MANÓMETRO

TABLA 16
CONSUMO DE GAS LÍQUIDO DE PETRÓLEO A LA BAJA PRESIÓN

APARATOS DE CONSUMO	NÚMERO DE ESPREA DEL QUEMADOR	CONSUMO POR QUEMADOR (m^3)
Estufas domésticas (por quemador).	70	0.059
Horno de estufas domésticas (por quemador).	56	0.170
Asador (por quemador).	66	0.081
Estufas de plancha para restaurante (por quemador).	56	0.170
Horno de estufas de plancha para restaurante (por quemador).	50	0.387
Parrillas.	72	0.048
Cafeteras.	72	0.048
Conservadores de alimentos calientes.	74	0.040
Radiadores de calor (domésticos).	54	0.240
Refrigeradores (domésticos).	79	0.175
Mechero Bunsen.	----	0.059
Calentadores de agua de almacenamiento.	54	0.240
Calentador de agua de paso.	76	0.031 por boquilla

TABLA 17
CONSUMOS MÁS COMUNES PARA CÁLCULOS PRELIMINARES

Estufa doméstica de 1 quemador	0.059 m³
Estufa doméstica de 2 quemadores....................	0.118
Estufa doméstica de 3 quemadores....................	0.177
Estufa doméstica de 4 quemadores....................	0.236
Estufa doméstica de 3 quemadores y horno.........	0.347
Estufa doméstica de 4 quemadores y horno.........	0.406
Calentador de agua (de paso).........................	0.930
Calentador de agua	0.240
Estufa de restaurante, con 6 quemadores, con plancha, asador y 2 hornos.........................	1,770
Máquina tortilladora.......................................	1.500

Consumo aproximado para tanques estacionarios:

100 Kg de gas/Depto/mes

Elementos de Instalaciones Hidráulicas y Sanitarias

2.1 INTRODUCCIÓN

Las instalaciones hidráulicas y sanitarias en casas-habitación y edificios se pueden identificar también con los trabajos que se conocen en forma popular como de "plomería" y que se define como: **"El arte de la instalación en edificios, las tuberías, accesorios y otros aparatos para llevar el suministro de agua y para retirar las aguas con desperdicios y los desechos que lleva el agua"**.

A partir de esta definición, se establece lo que es un sistema de plomería y se dice que un sistema de plomería incluye: los tubos de distribución del suministro de agua, los accesorios y trampas de los accesorios, el sello, los desperdicios y tubos de ventilación, el drenaje de un edificio o casa, el drenaje para aguas de lluvia; todo esto con sus dispositivos y conexiones dentro de la casa o edificio y con el exterior.

2.2 LA LECTURA DE PLANOS Y ESPECIFICACIONES.

Uno de los elementos importantes para el diseño y construcción de instalaciones hidráulicas y sanitarias es la elaboración, lectura y comprensión de los planos y especificaciones; los planos y las especificaciones son los trabajos de dibujo y las instrucciones escritas que indican como los arquitectos y los varios ingenieros que intervienen (electricistas, mecánicos, estructuristas) en su caso, desean que se haga una construcción. Los planos, para la mayoría de las grandes construcciones, se dividen en tres grupos:

1. **Planos estructurales.** Muestran la estructura de soporte de un edificio o de una casa, incluyen la cimentación, los muros de carga, columnas, trabes, etcétera, así como los refuerzos del piso.

2. **Planos arquitectónicos.** Son los planos completos de una construcción (excepto los detalles estructurales y mecánicos), muestran las dimensiones generales, indicación de áreas en una casa, closets, detalles de garaje, jardín y dimensiones de muros.

3. **Planos mecánicos**. En estos planos, se muestran los sistemas de plomería, de aire acondicionado y calefacción y los sistemas eléctricos de una casa o edificio. Algunas veces los planos mecánicos se manejan por separado de los planos arquitectónicos, por los detalles que en ellos se dan; por ejemplo, en un plano de plomería se da un dibujo completo de los accesorios de plomería y su instalación, así como de las tuberías hidráulicas y de drenaje. En construcciones pequeñas, no es necesario separar los planos mecánicos y se dan como parte de los planos arquitectónicos.

2.2.1 LOS SÍMBOLOS

Los arquitectos e ingenieros usan en los planos, para la representación de los accesorios de plomería y los tubos con sus conexiones y accesorios y válvulas, una simbología que les permite identificar fácilmente cada componente o elemento de una instalación y, por otro lado, cuando es necesario elaborar estos planos lo hacen sobre una simbología convencional que permite la fácil lectura e interpretación de los mismos. En la relación siguiente, se muestran los símbolos estándar usados para accesorios de plomería, tubería, herrajes, válvulas y conectores, que son los que se encuentran con mayor frecuencia en los planos de las instalaciones hidráulicas o de plomería.

Existen otros dibujos en donde se usa la representación de cada elemento y/o se indica de qué elemento o parte se trata.

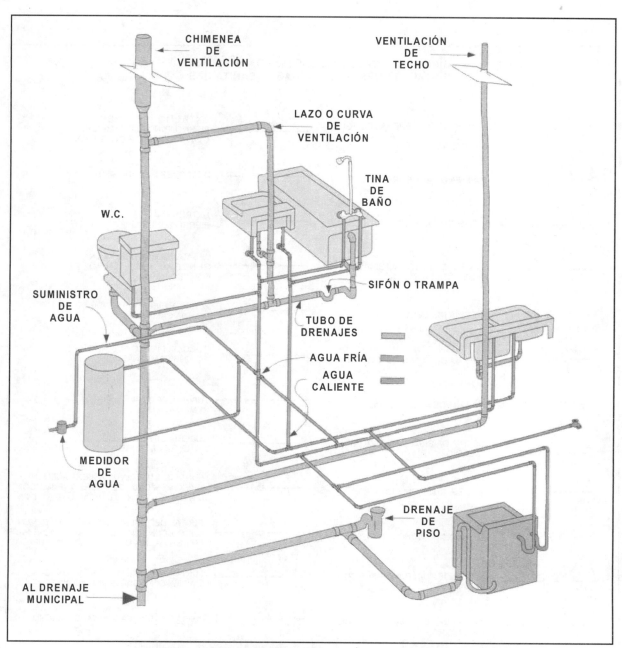

ANATOMÍA DE UN SISTEMA DE HIDRÁULICO Y SANITARIO

SÍMBOLOS USADOS EN LOS DIAGRAMAS PARA INSTALACIONES HIDRÁULICAS Y SANITARIAS

ALIMENTACIÓN GENERAL DE AGUA FRÍA (DE LA TOMA A TINACOS O CISTERNAS)	EXTREMO DE TUBO DE FIERRO FUNDIDO (CAMPANA), CON TAPÓN REGISTRO
TUBERÍA DE AGUA FRÍA	DESAGÜES INDIVIDUALES
TUBERÍA DE AGUA CALIENTE	EXTREMIDAD DE FIERRO FUNDIDO
— R — R — TUBERÍA DE RETORNO DE AGUA CALIENTE	DESAGÜES O TUBERÍAS EN GENERAL DE FIERRO FUNDIDO
— V — V — TUBERÍA DE VAPOR	TUBO DE FIERRO FUNDIDO DE UNA CAMPANA
— C — C — TUBERÍA DE CONDENSADO	TUBO DE FIERRO FUNDIDO DE DOS CAMPANAS
— AD — AD — TUBERÍA DE AGUA DESTILADA	TUBERÍA DE ALBAÑAL DE CEMENTO
— I — I — TUBERÍA DE SISTEMA CONTRA INCENDIO	TUBERÍA DE ALBAÑAL DE BARRO VITRIFICADO
— G — G — TUBERÍA QUE CONDUCE GAS	PUNTA DE TUBERÍA DE ASBESTO-CEMENTO Y EXTREMIDAD DE FIERRO FUNDIDO, UNIDAS CON "JUNTA GIBAULT"
— D — D — TUBERÍA QUE CONDUCE DIESEL	PUNTAS DE TUBERÍAS DE ASBESTO-CEMENTO UNIDAS CON UNA "JUNTA GIBAULT" (SE HACE EN REPARACIÓN DE TUBERÍAS FRACTURADAS)
PUNTAS DE TUBERÍA UNIDAS CON BRIDAS	PUNTA DE TUBERÍA CON TAPÓN CAPA, TAMBIÉN CONOCIDO COMO TAPÓN HEMBRA
PUNTAS DE TUBERÍAS UNIDAS CON SOLDADURA	PUNTA DE TUBERÍA CON TAPÓN MACHO

CONEXIONES EN ELEVACIONES

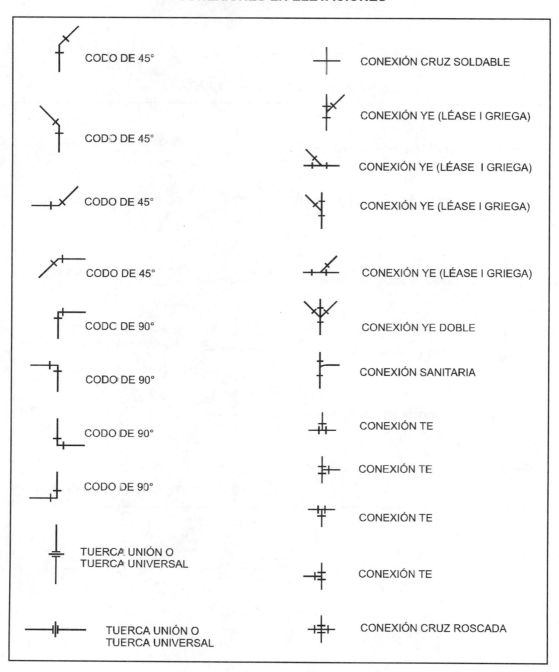

CODO DE 45°

CODO DE 45°

CODO DE 45°

CODO DE 45°

CODO DE 90°

CODO DE 90°

CODO DE 90°

CODO DE 90°

TUERCA UNIÓN O
TUERCA UNIVERSAL

TUERCA UNIÓN O
TUERCA UNIVERSAL

CONEXIÓN CRUZ SOLDABLE

CONEXIÓN YE (LÉASE I GRIEGA)

CONEXIÓN YE (LÉASE I GRIEGA)

CONEXIÓN YE (LÉASE I GRIEGA)

CONEXIÓN YE (LÉASE I GRIEGA)

CONEXIÓN YE DOBLE

CONEXIÓN SANITARIA

CONEXIÓN TE

CONEXIÓN TE

CONEXIÓN TE

CONEXIÓN TE

CONEXIÓN CRUZ ROSCADA

CONEXIONES VISTAS EN PLANTA

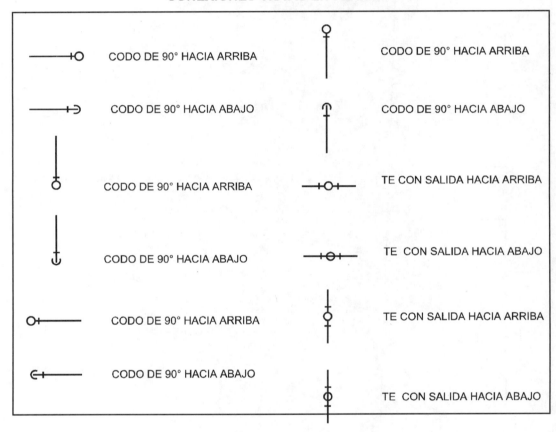

JUEGOS DE CONEXIONES VISTAS EN ELEVACIÓN

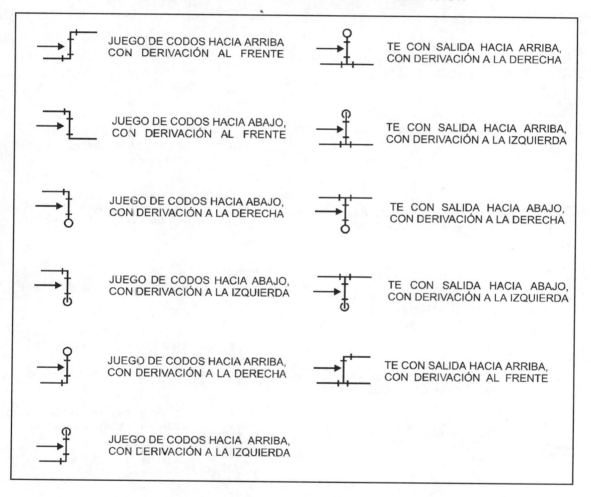

JUEGO DE CODOS HACIA ARRIBA CON DERIVACIÓN AL FRENTE

TE CON SALIDA HACIA ARRIBA, CON DERIVACIÓN A LA DERECHA

JUEGO DE CODOS HACIA ABAJO, CON DERIVACIÓN AL FRENTE

TE CON SALIDA HACIA ARRIBA, CON DERIVACIÓN A LA IZQUIERDA

JUEGO DE CODOS HACIA ABAJO, CON DERIVACIÓN A LA DERECHA

TE CON SALIDA HACIA ABAJO, CON DERIVACIÓN A LA DERECHA

JUEGO DE CODOS HACIA ABAJO, CON DERIVACIÓN A LA IZQUIERDA

TE CON SALIDA HACIA ABAJO, CON DERIVACIÓN A LA IZQUIERDA

JUEGO DE CODOS HACIA ARRIBA, CON DERIVACIÓN A LA DERECHA

TE CON SALIDA HACIA ARRIBA, CON DERIVACIÓN AL FRENTE

JUEGO DE CODOS HACIA ARRIBA, CON DERIVACIÓN A LA IZQUIERDA

JUEGOS DE CONEXIONES VISTAS EN PLANTA

JUEGO DE CODOS HACIA ARRIBA,
CON DERIVACIÓN AL FRENTE

TE CON SALIDA HACIA ABAJO,
CON DERIVACIÓN A LA DERECHA

JUEGO DE CODOS HACIA ABAJO,
CON DERIVACIÓN AL FRENTE

TE CON SALIDA HACIA ARRIBA,
CON DERIVACIÓN AL FRENTE

JUEGO DE CODOS HACIA ABAJO,
CON DERIVACIÓN A LA DERECHA

TE CON SALIDA HACIA ARRIBA,
CON TAPÓN MACHO EN LA BOCA
DERECHA

JUEGO DE CODOS HACIA ARRIBA,
CON DERIVACIÓN A LA IZQUIERDA

JUEGO DE CODOS HACIA ARRIBA,
CON DERIVACIÓN A LA DERECHA

JUEGO DE CODOS HACIA ARRIBA,
CON DERIVACIÓN A LA DERECHA

TE CON SALIDA HACIA ARRIBA,
CON DERIVACIÓN A LA DERECHA

JUEGO DE CODOS HACIA ABAJO,
CON DERIVACIÓN A LA IZQUIERDA

TE CON SALIDA HACIA ARRIBA,
CON DERIVACIÓN A LA IZQUIERDA

JUEGO DE CODOS HACIA ABAJO,
CON DERIVACIÓN A LA IZQUIERDA

TE CON SALIDA HACIA ABAJO,
CON DERIVACIÓN A LA IZQUIERDA

JUEGO DE CODOS HACIA ARRIBA,
CON DERIVACIÓN A LA IZQUIERDA

VÁLVULAS

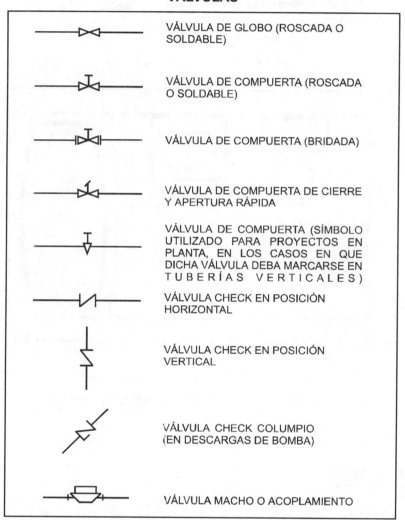

VÁLVULA DE GLOBO (ROSCADA O SOLDABLE)

VÁLVULA DE COMPUERTA (ROSCADA O SOLDABLE)

VÁLVULA DE COMPUERTA (BRIDADA)

VÁLVULA DE COMPUERTA DE CIERRE Y APERTURA RÁPIDA

VÁLVULA DE COMPUERTA (SÍMBOLO UTILIZADO PARA PROYECTOS EN PLANTA, EN LOS CASOS EN QUE DICHA VÁLVULA DEBA MARCARSE EN TUBERÍAS VERTICALES)

VÁLVULA CHECK EN POSICIÓN HORIZONTAL

VÁLVULA CHECK EN POSICIÓN VERTICAL

VÁLVULA CHECK COLUMPIO (EN DESCARGAS DE BOMBA)

VÁLVULA MACHO O ACOPLAMIENTO

DIBUJOS DE VISTA EN PLANTA

Sobre los planos mecánicos se pueden encontrar vistas en planta de los accesorios de plomería o instalación hidráulica, mostrando la forma como van a ser instalados, así como dibujos esquemáticos e isométricos de las trayectorias de la tubería.

Un dibujo de vista en planta, es simplemente un dibujo de cómo se observaría hacia abajo (observando desde una posición arriba) en un cuarto, el área misma y la disposición de los objetos dentro de ella. Para ilustrar esto, en la siguiente figura se muestra la vista en la planta de los accesorios de un baño.

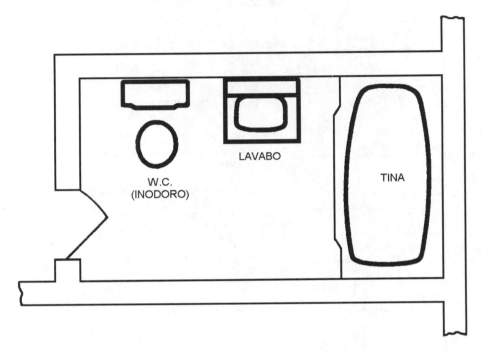

VISTA EN PLANTA DE LOS ACCESORIOS DE BAÑO

DIBUJOS ESQUEMÁTICOS

Un dibujo esquemático o diagramático de un sistema de tubos o tubería, es el dibujo de un sistema completo de tuberías sin hacer referencia a una escala o localización exacta de los conceptos o elementos que muestra el dibujo.

En la siguiente figura, se muestra el dibujo esquemático del sistema de drenaje sanitario y de ventilación para el baño mostrado en la figura anterior.

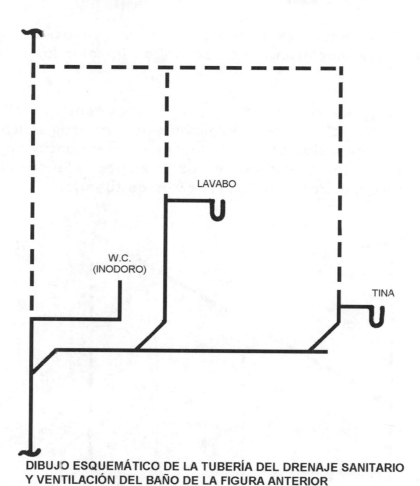

**DIBUJO ESQUEMÁTICO DE LA TUBERÍA DEL DRENAJE SANITARIO
Y VENTILACIÓN DEL BAÑO DE LA FIGURA ANTERIOR**

DIBUJOS ISOMÉTRICOS

Un dibujo isométrico de tubería o dibujo isométrico de 30°/60° para
tubería, es un dibujo tridimensional. Sobre el dibujo isométrico, todos los
tubos que se van a instalar en posición horizontal se dibujan con líneas a
30°, mientras que todos los tubos verticales se dibujan con líneas
verticales; en otras palabras, todas las líneas no horizontales en un
dibujo isométrico representan tubos horizontales y todas las líneas
verticales representan precisamente tubos verticales.

En la siguiente figura, se muestra el dibujo isométrico de la tubería del
sistema de tuberías de drenaje y ventilación del baño mostrado en la
figura anterior. Cuando se trata de trabajos pequeños, los planos no
muestran ningún dibujo de tubería, la única información que se puede

tener para los trabajos de plomería son las vistas de los planos arquitectónicos, que muestran donde se deben instalar los accesorios de plomería.

En estos trabajos, es conveniente para el diseñador o el instalador (plomero) elaborar diagramas esquemáticos e isométricos de las trayectorias de la tubería, por esta razón, en apariencia se tiene que invertir una cantidad considerable de tiempo, elaborando dibujos esquemáticos e isométricos para los sistemas de tubería.

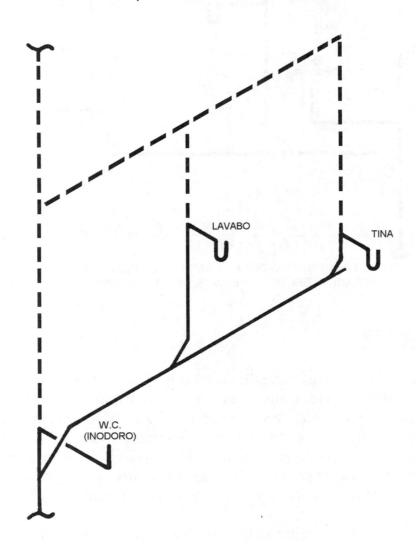

DIBUJO ISOMÉTRICO DE LA TUBERÍA DEL DRENAJE SANITARIO Y VENTILACIÓN

En este capítulo no se pretende enseñar cómo se dibujan los planos para las instalaciones hidráulicas y sanitarias, sólo se trata de dar una visión de la forma de elaboración e interpretación de estos planos a partir de planos arquitectónicos de distribución de accesorios y equipos, como se muestra en la figura siguiente:

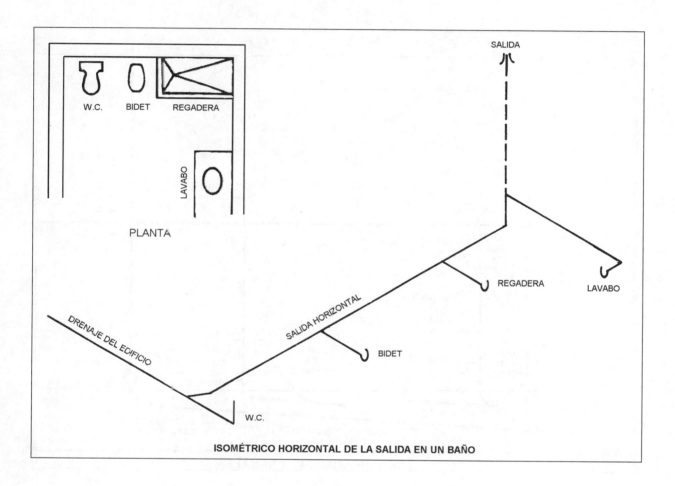

ISOMÉTRICO HORIZONTAL DE LA SALIDA EN UN BAÑO

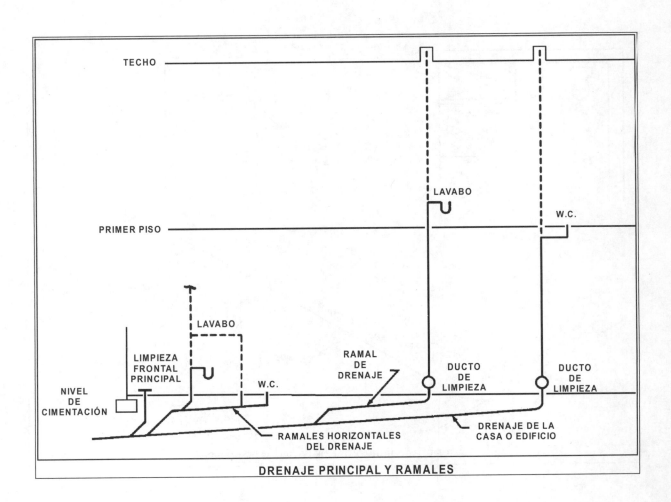

TECHO

LAVABO

W.C.

PRIMER PISO

LAVABO

RAMAL
DE
DRENAJE

LIMPIEZA
FRONTAL
PRINCIPAL

W.C.

DUCTO
DE
LIMPIEZA

DUCTO
DE
LIMPIEZA

NIVEL
DE
CIMENTACIÓN

DRENAJE DE LA
CASA O EDIFICIO

RAMALES HORIZONTALES
DEL DRENAJE

DRENAJE PRINCIPAL Y RAMALES

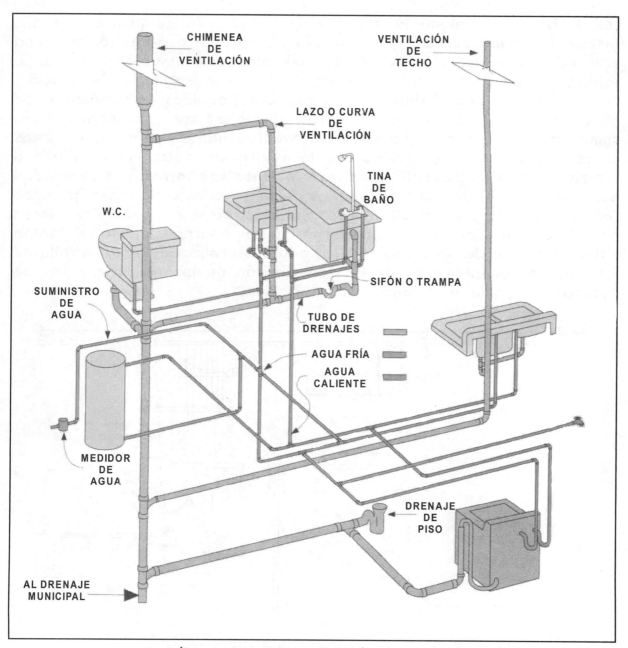

ANATOMÍA DE UN SISTEMA DE HIDRÁULICO Y SANITARIO

2.3 LOS SISTEMAS HIDRÁULICOS Y SANITARIOS DE UNA CASA-HABITACIÓN (SISTEMA DE PLOMERÍA).

Los trabajos de plomería están enfocados a la realización de las **instalaciones hidráulicas**, que para el caso de una casa-habitación o una edificación son el conjunto de tanques elevados, tinacos, cisternas o tanques de almacenamiento, tuberías de descarga, succión y distribución, bombas, válvulas de distintos tipos y funciones, equipos de suavización de agua, calentadores de agua, etcétera, que son necesarios para suministrar agua fría, agua caliente (eventualmente vapor) a todos los accesorios sanitarios y servicios de la edificación. Estos trabajos tienen también la función de realizar las **instalaciones sanitarias**, que se pueden entender como el conjunto de tuberías de conducción, conexiones, trampas (por ejemplo, tipo sifón), céspoles, coladeras, etcétera, que se requieren para la evacuación y ventilación de las aguas negras y pluviales de una edificación. Una de las primeras actividades a realizar en el desarrollo de los trabajos de plomería, es la identificación de los requerimientos de suministro de agua y drenaje en la edificación.

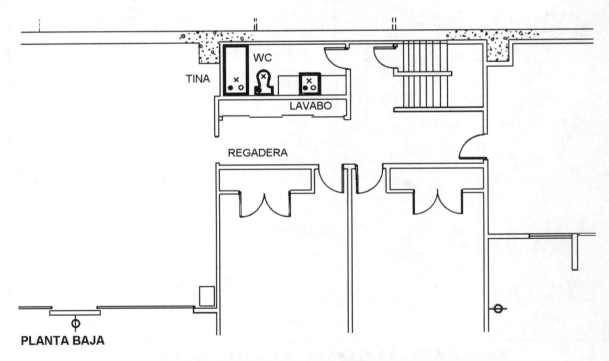

PLANTA BAJA

REQUERIMIENTOS DE SUMINISTRO DE AGUA Y DRENAJE

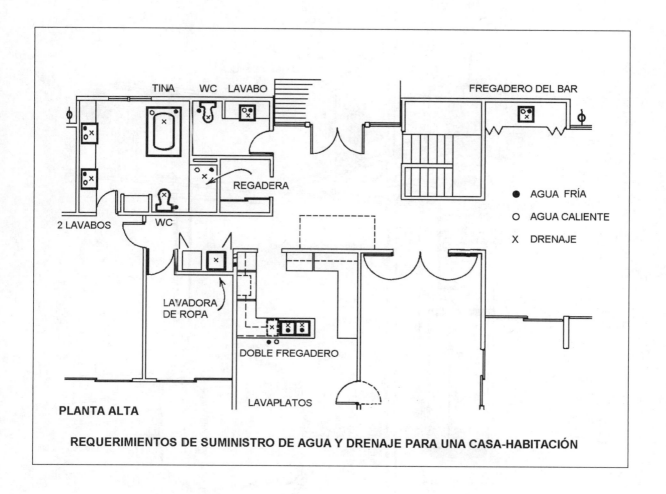

TINA   WC LAVABO

FREGADERO DEL BAR

REGADERA

2 LAVABOS   WC

● AGUA FRÍA

O AGUA CALIENTE

X DRENAJE

LAVADORA
DE ROPA

DOBLE FREGADERO

PLANTA ALTA

LAVAPLATOS

REQUERIMIENTOS DE SUMINISTRO DE AGUA Y DRENAJE PARA UNA CASA-HABITACIÓN

ANATOMÍA DE UN SISTEMA DE PLOMERÍA

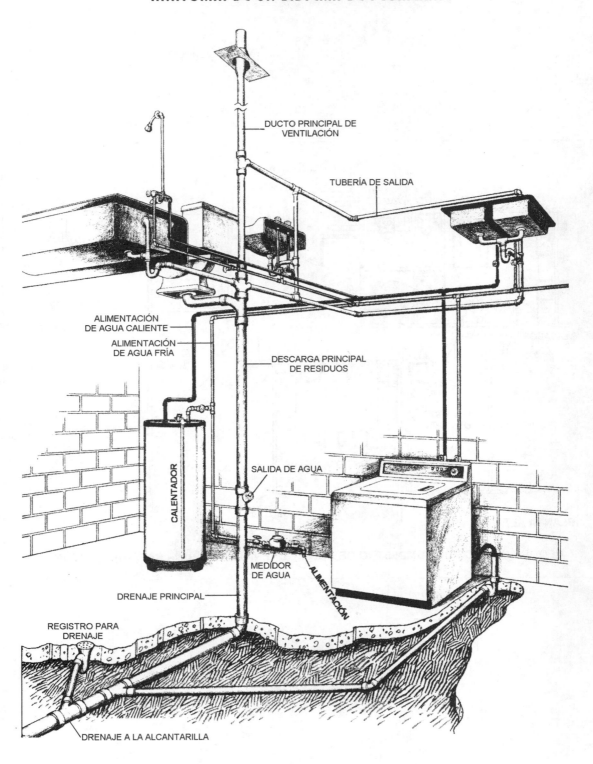

Los sistemas básicos de plomería en una edificación son los siguientes:

2.3.1 EL SISTEMA DE SUMINISTRO DE AGUA POTABLE.

2.3.2 EL SISTEMA DE TUBERÍAS DE DRENAJE Y VENTILACIÓN.

2.3.3 EL SISTEMA DE DRENAJE DE AGUAS DE LLUVIA.

Como una introducción a estos sistemas, a continuación se da una breve explicación, ilustrando con figuras en cada caso.

2.3.1 EL SISTEMA DE SUMINISTRO DE AGUA POTABLE.

El sistema de suministro de agua potable en una casa o edificación se muestra en la siguiente figura, este sistema de suministro alimenta y distribuye el agua potable a los puntos de uso dentro de la edificación, para una mejor comprensión de estos sistemas se dan los siguientes términos.

AGUA POTABLE

Es el agua que se encuentra libre de impurezas presentes en cantidades suficientes para causar enfermedades o efectos fisiológicos. Su calidad química y bacteriológica debe estar de acuerdo con las disposiciones normativas de la Secretaría de Salubridad y Asistencia.

SISTEMA DE SUMINISTRO DE AGUA POTABLE

El tubo de servicio de agua, los tubos de distribución y las conexiones necesarias para los tubos, los herrajes, conectores, válvulas de control y todos los elementos que relacionan las instalaciones hidráulicas dentro de la edificación o fuera de la misma, constituyen lo que se conoce como el sistema de suministro de agua.

EL SUMINISTRO PRINCIPAL DE AGUA

Es el tubo que transporta el agua potable para el uso público o de la comunidad desde la fuente de suministro de agua municipal.

LA TOMA DE LA COMPAÑÍA DE AGUA

Es una válvula colocada sobre la línea principal de suministro a la cual se conecta el servicio de agua de la edificación o casa.

SERVICIO DE AGUA

Es el tubo que va del suministro principal o alguna otra fuente de suministro de agua al sistema de distribución de agua dentro del edificio o casa.

LLAVE DE PASO

Es una válvula colocada sobre el servicio de agua.

MEDIDOR DE AGUA

Es un dispositivo usado para medir la cantidad de agua que pasa a través del tubo de agua de servicio. Se mide en metros cúbicos, pies cúbicos, galones o litros.

TUBO DE DISTRIBUCIÓN DE AGUA

Es un tubo que transporta el agua del tubo de servicio al punto de uso.

TUBO PRINCIPAL

La arteria principal de los tubos a la cual se pueden conectar los ramales.

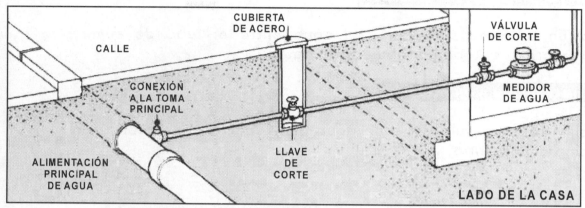

SISTEMA TÍPICO DE ALIMENTACIÓN O SUMINISTRO DE AGUA

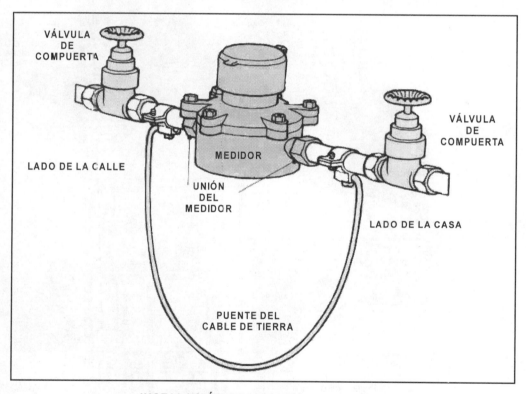

INSTALACIÓN DEL MEDIDOR DE AGUA

TUBOS ELEVADORES

Un tubo de suministro de agua que se extiende en forma vertical para llevar el agua a ramales de accesorios o a un grupo de accesorios.

RAMAL O RAMA DE ACCESORIO

Es un tubo de suministro de agua entre el tubo de suministro a un accesorio y el tubo distribuidor de agua.

ALIMENTACIÓN A UN ACCESORIO

Es un tubo de suministro de agua que conecta al accesorio con el tubo o rama al accesorio.

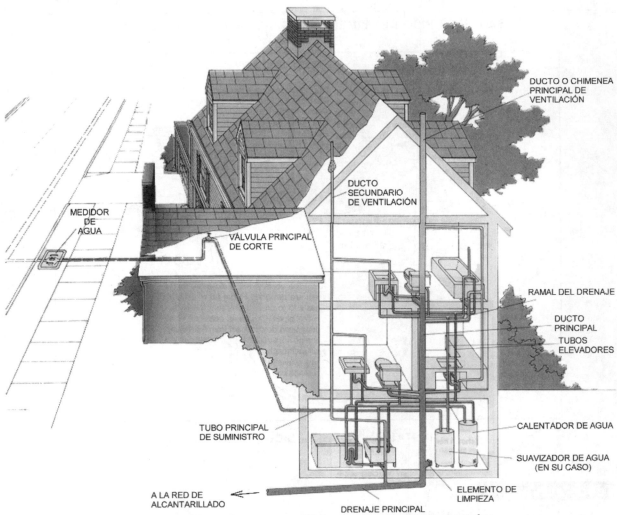

SISTEMA DE AGUA Y DRENAJE DE UNA CASA-HABITACIÓN

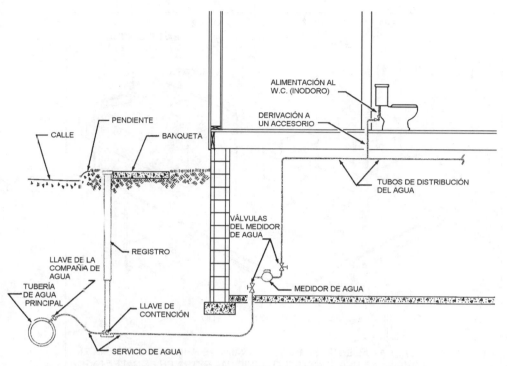

SISTEMA DE SUMINISTRO DE AGUA POTABLE DE UNA CASA

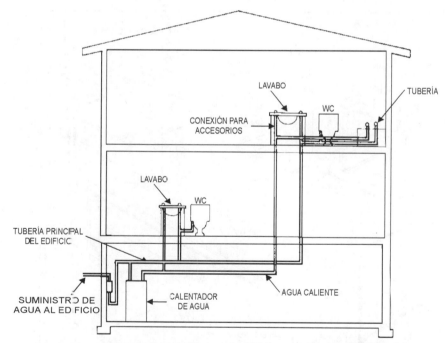

**CORTE MOSTRANDO LA DISTRIBUCIÓN DEL SUMINISTRO DE AGUA FRÍA Y
CALIENTE PARA SERVICIOS EN BAÑOS DE DEPARTAMENTOS**

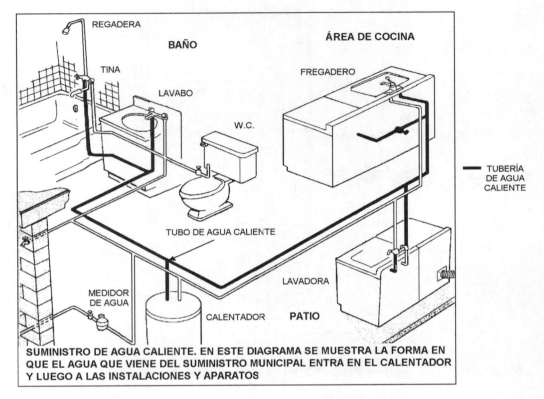

REGADERA

BAÑO   ÁREA DE COCINA

TINA   FREGADERO

LAVABO

W.C.

TUBO DE AGUA CALIENTE   TUBERÍA DE AGUA CALIENTE

LAVADORA

MEDIDOR DE AGUA   CALENTADOR   PATIO

SUMINISTRO DE AGUA CALIENTE. EN ESTE DIAGRAMA SE MUESTRA LA FORMA EN QUE EL AGUA QUE VIENE DEL SUMINISTRO MUNICIPAL ENTRA EN EL CALENTADOR Y LUEGO A LAS INSTALACIONES Y APARATOS

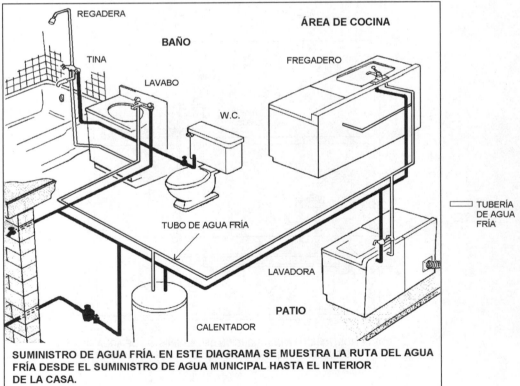

REGADERA

BAÑO   ÁREA DE COCINA

TINA   FREGADERO

LAVABO

W.C.

TUBO DE AGUA FRÍA   TUBERÍA DE AGUA FRÍA

LAVADORA

PATIO

CALENTADOR

SUMINISTRO DE AGUA FRÍA. EN ESTE DIAGRAMA SE MUESTRA LA RUTA DEL AGUA FRÍA DESDE EL SUMINISTRO DE AGUA MUNICIPAL HASTA EL INTERIOR DE LA CASA.

2.3.2 EL SISTEMA DE TUBERÍAS DE DRENAJE Y VENTILACIÓN

Los sistemas de drenaje sanitario y de ventilación se instalan para retirar las aguas de desperdicio y aguas jabonosas de los accesorios de la instalación de plomería (W.C., lavabos, fregadero, etcétera) y de los aparatos (lavadora de ropa, lavadora de trastos, etcétera) y también para proporcionar un medio de circulación de aire dentro de las tuberías de drenaje. En a siguiente figura, se muestra la tubería de un sistema de drenaje sanitario y de ventilación.

En un sistema de drenaje es aplicable la siguiente terminología:

Tubo de drenaje sanitario. Son los tubos instalados para retirar las aguas de desperdicio (aguas negras, grises y jabonosas) de los accesorios de plomería y conducir estos desperdicios a la cloaca (alcantarillado o sumidero para las aguas negras e inmundas).

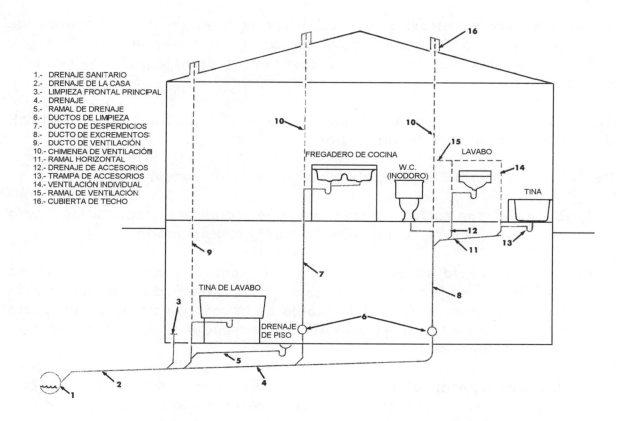

1.- DRENAJE SANITARIO
2.- DRENAJE DE LA CASA
3.- LIMPIEZA FRONTAL PRINCIPAL
4.- DRENAJE
5.- RAMAL DE DRENAJE
6.- DUCTOS DE LIMPIEZA
7.- DUCTO DE DESPERDICIOS
8.- DUCTO DE EXCREMENTOS
9.- DUCTO DE VENTILACIÓN
10.- CHIMENEA DE VENTILACIÓN
11.- RAMAL HORIZONTAL
12.- DRENAJE DE ACCESORIOS
13.- TRAMPA DE ACCESORIOS
14.- VENTILACIÓN INDIVIDUAL
15.- RAMAL DE VENTILACIÓN
16.- CUBIERTA DE TECHO

SISTEMAS DE DRENAJE SANITARIO Y DE VENTILACIÓN EN UNA CONSTRUCCIÓN

Tubo o chimenea de ventilación. Es un tubo instalado para ventilar el sistema de drenaje de una casa o edificio y para prevenir la presión inversa o el efecto de contra sifón.

Aguas de albañal o alcantarillado. Es cualquier líquido de desperdicio que contiene materia animal o vegetal en suspensión o solución. Esto puede incluir productos químicos en solución.

Gases de alcantarillado o cloaca. Es la mezcla de vapores, olores y gases encontrados en las aguas de alcantarillado.

Salida de limpieza. Un herraje con una placa renovable o tapón que se coloca en la tubería del drenaje para permitir el acceso a los tubos para el propósito de limpieza en el interior de los mismos.

Tubería de desperdicios. Es una tubería que transporta sólo líquidos con desperdicios libres de materia fecal.

Tubería de excrementos. Es una tubería que conduce la descarga de los inodoros o W.C. o de accesorios similares, que contienen materia fecal, con o sin la descarga de otros accesorios al drenaje del edificio o al alcantarillado.

Chimenea. Es un término general para cualquier línea vertical, desperdicios o tubería de ventilación.

De la figura anterior, algunos de los términos más comunes son:

1. ***Drenaje sanitario.*** Un drenaje que conduce desperdicios, pero excluye aguas de lluvia, superficiales y subterráneas.

2. ***Drenaje de la casa.*** También se le conoce como drenaje de un edificio o edificación, es la parte del sistema de drenaje que se extiende desde el final del drenaje de la casa o edificio y transporta su descarga al drenaje público, a un drenaje privado o algún otro punto de depósito.

3. ***Limpieza frontal principal.*** Es un herraje, tapón enchufado localizado cerca del muro frontal del edificio, en donde el drenaje del edificio sale, puede estar dentro del edificio o sobre la banqueta.

4. *El drenaje de la casa o edificio.* Es la parte más baja de la tubería del sistema de drenaje que recibe la descarga de aguas negras, desperdicios y de otros tubos de drenaje dentro de la casa o edificio.

5. *Ramal de drenaje.* El ramal de drenaje en una casa o edificio, es una tubería que conduce desperdicios y aguas residuales, que se extiende en forma horizontal desde el drenaje de la casa o edificio y recibe descargas únicamente de los accesorios que están al mismo nivel.

6. *Ductos o chimeneas de limpieza.* Es un accesorio o herraje que va enchufado y que está localizado en la parte inferior de los ductos.

7. *Ducto de desperdicios.* Es una línea vertical de tubería que se extiende por uno o más pisos y recibe la descarga de accesorios que no sean mingitorios, W.C y accesorios similares.

8. *Ducto de excrementos.* Es una línea vertical de tubería que se extiende uno o más pisos y recibe la descarga de W.C., mingitorios y accesorios similares.

9. *Ducto de ventilación.* Es una tubería vertical instalada para proporcionar circulación de aire al sistema de drenaje o desde del mismo.

10. *Chimenea de ventilación.* Es la extensión de un drenaje de excrementos o desperdicios sobre el nivel más alto del drenaje horizontal conectados a la chimenea.

2.3.3 EL SISTEMA DE DRENAJE DE AGUA DE LLUVIA

El sistema de drenaje de aguas de lluvia se muestra en la siguiente figura, y se trata de un sistema de tubos usados para transportar el agua de lluvia o de otras precipitaciones al alcantarillado o a cualquier otro lugar destinado para esto.

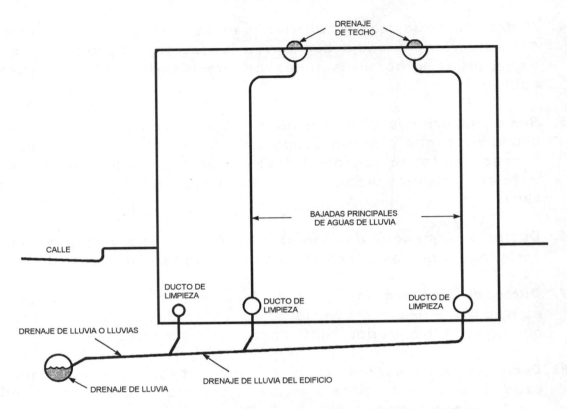

SISTEMA DE DRENAJE DE LLUVIA EN UNA CASA O EDIFICIO

Los siguientes términos son aplicados a los sistemas de drenaje para lluvia:

1. ***Drenaje de lluvia***. Una alcantarilla usada para conducir las aguas de lluvia, las aguas superficiales, o bien, aguas similares, pero no contaminantes.

2. ***Drenaje de lluvia del edificio.*** Es un alcantarillado y sistema de ductos en un edificio que conduce agua de lluvia, pero no desechos.

3. ***Bajadas principales de agua de lluvia.*** Es una tubería que se encuentra dentro de un edificio y que conduce al agua de lluvia del techo al alcantarillado.

4. ***Drenaje de techo.*** Es un drenaje instalado para recibir el agua que se colecta sobre la superficie de un techo y para descargarla en el interior del canal de descarga o baja principal y llevarla a la salida aguas abajo.

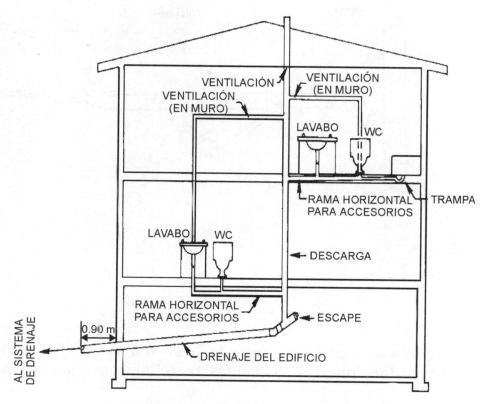

SISTEMA DE DRENAJE EN DEPARTAMENTOS

SISTEMA DE DRENAJE

a) *Sifón o sello sanitario*. Dispositivo que deben tener todos los muebles sanitarios para evitar la salida de los gases que se producen en la tubería de drenaje.

b) *Derivación de drenaje*. Tubería de drenaje que lleva las aguas residuales de un sólo nivel hacia las columnas de drenaje.

c) *Columna de drenaje*. Tubería vertical que conduce las aguas residuales y/o pluviales y las lleva directamente al colector o albañal.

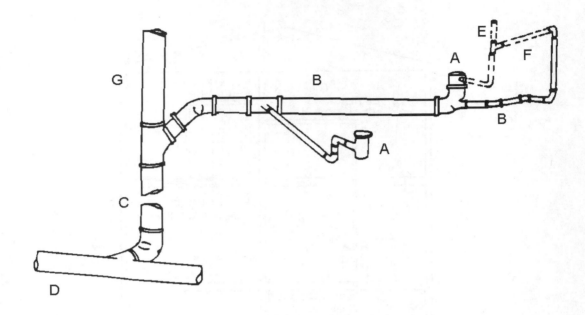

d) Colector o albañal. Conducto cerrado con diámetro y pendiente, necesarios para dar salida a las aguas residuales y pluviales en los edificios.

e) Columna de ventilación. Ducto del sistema de drenaje (vertical) que está en contacto con el exterior para mantener la presión atmosférica en las tuberías de drenaje.

f) Derivación de ventilación. Tubería con ligera inclinación para ventilar en forma directa los sifones de los muebles sanitarios.

g) Bajada de agua pluvial. Tuberías verticales que transportan las aguas de lluvia captadas en las azoteas hasta el drenaje o albañal.

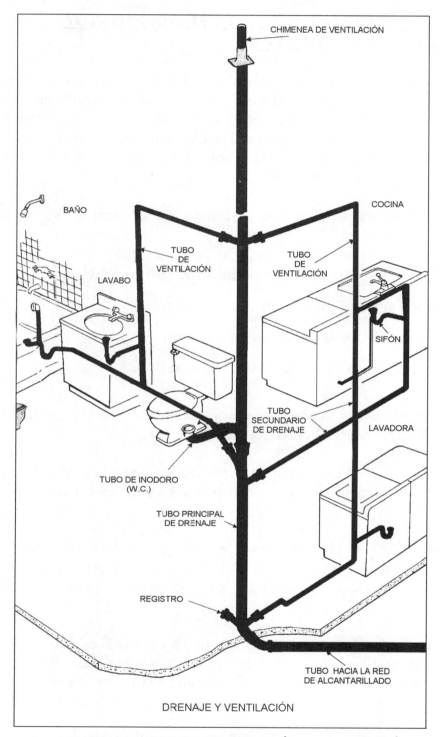

CHIMENEA DE VENTILACIÓN

BAÑO

COCINA

TUBO
DE
VENTILACIÓN

TUBO
DE
VENTILACIÓN

LAVABO

SIFÓN

TUBO
SECUNDARIO
DE DRENAJE

LAVADORA

TUBO DE INODORO
(W.C.)

TUBO PRINCIPAL
DE DRENAJE

REGISTRO

TUBO HACIA LA RED
DE ALCANTARILLADO

DRENAJE Y VENTILACIÓN

**EL SISTEMA DE DRENAJE, EVACUACIÓN Y VENTILACIÓN
TRANSPORTA LOS DESECHOS Y AGUAS JABONOSAS DE LOS APARATOS E
INSTALACIONES A LA RED DE ALCANTARILLADO O A UNA FOSA SÉPTICA**

2.4 LOS MATERIALES Y ALGUNOS ACCESORIOS USADOS EN PROMERÍA.

Los tres sistemas de plomería de una edificación son: el sistema de suministro de agua potable, el sistema de drenaje sanitario y ventilación y el sistema de drenaje de aguas de lluvia, se construyen usando tuberías, herrajes, válvulas y accesorios; por esto, es necesario que se tenga un conocimiento, al menos general, sobre estos elementos usados en las instalaciones de plomería.

Para los tubos utilizados en los sistemas de plomería, se puede usar la siguiente clasificación:

1. Tubería, conectores y herrajes de fierro fundido.

2. Tubería, conectores y herrajes de acero.

3. Tubería de cobre y herrajes de cobre.

4. Tubería, herrajes y conectores de plástico.

La aplicación de estos materiales puede variar, dependiendo si se trata de una instalación hidráulica o sanitaria.

Las instalaciones hidráulicas precisan de materiales muy resistentes al impacto y a la vibración. Esos materiales son generalmente el cobre y el fierro galvanizado.

La tubería de fierro galvanizado se utiliza cuando la tubería y piezas especiales se encuentran expuestas a la intemperie y al paso de las personas y maquinaria o equipo que pudieran golpearla de manera accidental.

La tubería de cobre es empleada en instalaciones ocultas o internas, ya que resiste muy bien la corrosión y sus paredes son lisas, por lo que reducen las pérdidas de carga. Para evitar que se dañe, por ser menos resistente al trabajo rudo, es conveniente localizar la tubería en el interior de la construcción.

Algunos factores importantes para elegir el material adecuado para la instalación que se va a diseñar son: el costo del mismo, la mano de obra calificada que se puede requerir, la disponibilidad del material, así como su durabilidad. Por lo que al costo se refiere, el cobre supera en mucho al del fierro galvanizado. También requiere de un instalador más especializado que el que instala fierro galvanizado.

El cobre tiene la propiedad de recubrirse al contacto del aire, con una capa de óxido que no penetra en el metal; es superficial y lo protege indefinidamente.

Aprovechando las cualidades del metal, de poder ser fácilmente trabajado en frío y de que con este trabajo va adquiriendo una dureza paulatina, las tuberías hechas con cobre permiten una forma de unión muy resistente con la llamada soldadura capilar, con materiales de bajo punto de fusión, eliminando la tradicional rosca usada en otros tipos de tuberías y reduciendo, por consiguiente, el espesor de la pared del tubo.

Existen en el mercado, **tres tipos de tubería de cobre** para instalaciones hidráulicas, el tipo "M" el tipo "L" y el tipo "K". Los tipos de tubería de cobre que mayor uso tienen en las instalaciones comunes son los dos primeros.

El **tipo "M"** es fabricado en longitudes estándar (6.10 m), de pared delgada, con diámetros nominales de 9.5 mm (3/8") y 51 mm (2").

Este tipo satisface las necesidades normales de una instalación hidráulica de una casa o edificio y soporta con un gran margen de seguridad las presiones usuales utilizadas en dichas construcciones.

El **tipo "L"** tiene la pared un poco más gruesa que el tipo anterior y es fabricado en longitudes de 6.10 m y en rollos de 15 m. Normalmente, este tipo se emplea cuando las exigencias de la instalación son más severas, por ejemplo, servicio de agua caliente o vapor en hoteles o baños públicos, gas, instalaciones de refrigeración, etcétera.

El **tipo "K"** es empleado para instalaciones industriales y el espesor de su pared es aún más gruesa que la del tipo anterior. Se caracteriza por tener gran resistencia a las altas presiones.

CONEXIONES PARA TUBERÍA DE COBRE

La tubería de cobre para instalación hidráulica se une o conecta con conexiones de bronce o de cobre tipo soldable. Este tipo de conexión posee algunas características importantes, como son las siguientes:

→ Las conexiones están fabricadas a dimensiones exactas, lo que es esencial para lograr uniones perfectas y sin fugas.

→ Estas conexiones están diseñadas para ofrecer un mínimo de resistencia a la corriente de agua.

→ La instalación es rápida, segura y económica.

TUBERÍAS DE FIERRO GALVANIZADO

El uso de fierro galvanizado en las instalaciones hidráulicas es, fundamentalmente, en tuberías exteriores. Esto es por la alta resistencia a los golpes, proporcionada por su propia estructura interna y por las gruesas paredes de los tubos y conexiones hechos con este material.

La materia básica que constituye el fierro galvanizado es principalmente el hierro, del cual se hace una fundición maleable para conseguir tubos y piezas especiales, las cuales se someten posteriormente al proceso de galvanizado.

El galvanizado es un recubrimiento de zinc, que se obtiene por inmersión en caliente, hecho con la finalidad de proporcionar una protección a la oxidación y en cierto porcentaje a la corrosión.

En este proceso, el zinc a alta temperatura, se hace una aleación con el metal de la pieza de hierro formando una capa de cinacato de hierro, que es la que proporciona esta protección.

Con el paso del agua a presión durante largo tiempo, el recubrimiento de zinc se va perdiendo y la oxidación y la corrosión del material se empieza a producir, dependiendo de la calidad del agua, pudiendo llegar a disminuir considerablemente la sección transversal de la tubería, debido a los depósitos de carbonatos u óxidos formados en sus paredes.

Las tuberías y conexiones de fierro galvanizado están fabricadas para trabajar a presiones máximas de 10.5 kg/cm^2 (cédula 40) y 21.2 kg/cm^2 (cédula 80).

La aplicación más común de la tubería galvanizada cédula 40 se encuentra en los siguientes casos:

a) Para servicio de agua caliente y fría en instalaciones de construcciones que se consideran como económicas, debido a su costo relativamente bajo.

b) Se puede aplicar, aún cuando no es la mejor solución, para la conducción en baños públicos.

c) Dada su característica de alta resistencia a los esfuerzos mecánicos, se puede usar para instalaciones a la intemperie.

d) En algunos sistemas de riego o suministro de agua potable en donde es necesario que por razones de su aplicación esté en contacto directo y en forma continua con el agua y la humedad. En estas aplicaciones es necesario que se proteja la tubería con un buen impermeabilizante.

Otras aplicaciones de tuberías son las siguientes:

TUBERÍA NEGRA, DE TIPO ROSCADA O SOLDABLE

Se usa normalmente en aplicaciones particulares como:

➜ Conducción de combustibles como petróleo y diesel.

➜ Conducción de vapor y condensado.

➜ Conducción de aire a presión.

Otros tipos de tuberías usados en instalaciones hidráulicas son las siguientes:

TUBERÍAS DE ASBESTO-CEMENTO CLASE A-7

Esta tubería se fabrica para presiones de 9.31 Kg/cm^2 y longitudes de tramo de 3.95 metros, se aplica por lo general en grandes sistemas de riego y también para redes de abastecimiento de agua potable.

LOS HERRAJES Y CONECTORES

En las instalaciones hidráulicas y sanitarias, para unir tramos de tubería, hacer cambios de direcciones con distintos ángulos y tener salidas para accesorios, se requieren de conectores y herrajes que permitan estos trabajos.

MATERIALES USADOS EN TRABAJOS DE PLOMERÍA

TUBOS DE COBRE

Tubo rígido. Usado para líneas de alimentación de agua fría y caliente, son ligeros y muy durables, se venden en tramos de 6 metros.

Tubo flexible. Usado para líneas de alimentación de agua fría y caliente, se venden en tramos de 18.0 m a 30.0 m.

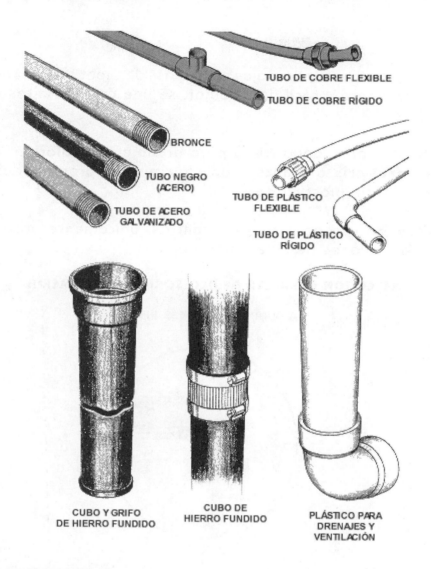

TUBO DE COBRE FLEXIBLE

TUBO DE COBRE RÍGIDO

BRONCE

TUBO NEGRO (ACERO)

TUBO DE ACERO GALVANIZADO

TUBO DE PLÁSTICO FLEXIBLE

TUBO DE PLÁSTICO RÍGIDO

CUBO Y GRIFO DE HIERRO FUNDIDO

CUBO DE HIERRO FUNDIDO

PLÁSTICO PARA DRENAJES Y VENTILACIÓN

TUBOS DE ACERO ROSCADO

De acero galvanizado. Usado en líneas de agua fría y caliente, se emplea poco debido a su costo relativamente elevado, principalmente se aplica en tramos largos en edificios e industrias.

De acero negro. Este se diferencia del galvanizado en que se deteriora más rápido, tiene las mismas aplicaciones.

Bronce. Usado en líneas de agua fría y caliente, es fácil de manipular y muy durable, pero de alto costo.

Plástico:

ABS. Se usa para drenajes y líneas de ventilación, es de **color negro**, es ligero y fácil de trabajar, se une con solventes y cementos especiales.

PVC. Se usa para agua fría y para drenaje y ventilación, es de **color crema, azul-gris o blanco**, tiene las mismas propiedades y manejo que el tubo de plástico ABS.

Fierro fundido. Se usa para cubos o centros, únicamente para drenajes y ventilación. Usa uniones de hule o neopreno.

SELECCIÓN CORRECTA DE ACCESORIOS EN PLOMERÍA

ALGUNOS ACCESORIOS TÍPICOS

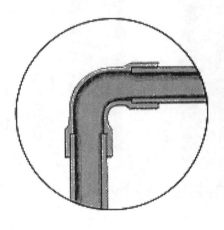

CONECTOR DE
TRANSICIÓN

ADAPTADOR
HEMBRA

MIDIENDO TUBOS Y ACCESORIOS

1. MEDICIÓN DEL DIÁMETRO INTERIOR DE UN TUBO PORQUE PUEDE RESULTAR ALGUNAS VECES ALTERADO POR LOS FABRICANTES.

2. COMPÁS DE DIÁMETROS EXTERIORES PARA MEDIR EL DIÁMETRO EXTERIOR DE UN TUBO.

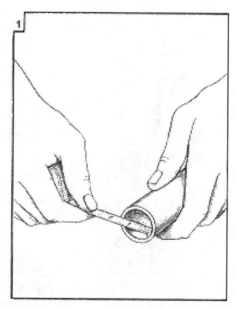

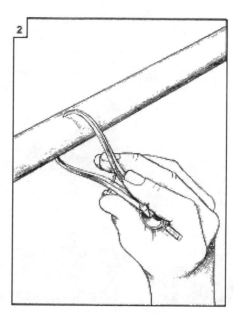

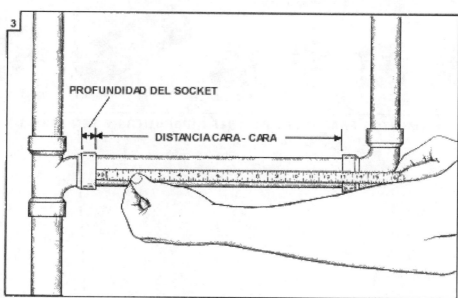

3. VERIFICACIÓN DE LA DISTANCIA DE UN TUBO ENTRE ACCESORIOS DESPUÉS DE SU INSTALACIÓN

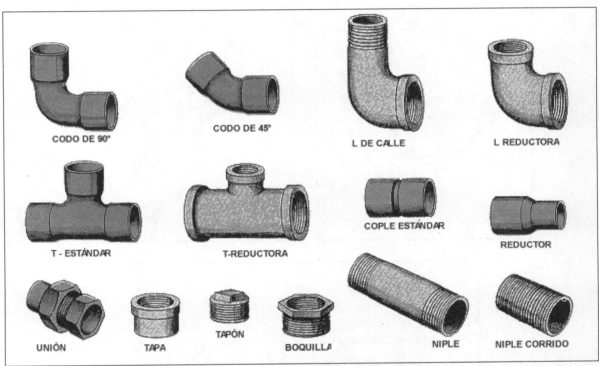

ELEMENTOS PARA INSTALACIONES HIDRÁULICAS Y SANITARIAS

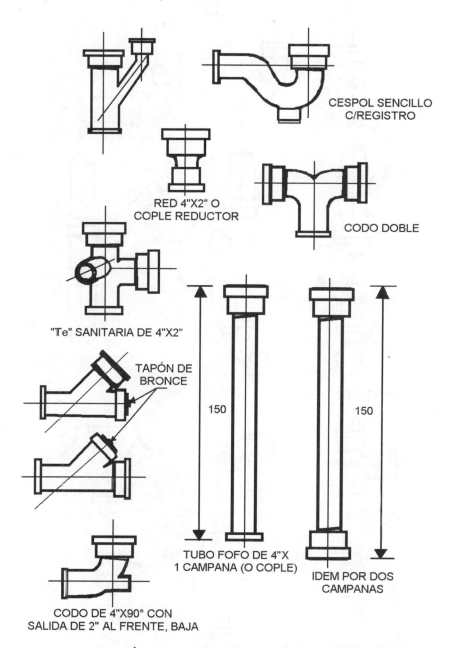

CESPOL SENCILLO
C/REGISTRO

RED 4"X2" O
COPLE REDUCTOR

CODO DOBLE

"Te" SANITARIA DE 4"X2"

TAPÓN DE
BRONCE

150

150

TUBO FOFO DE 4"X
1 CAMPANA (O COPLE)

IDEM POR DOS
CAMPANAS

CODO DE 4"X90° CON
SALIDA DE 2" AL FRENTE, BAJA

TUBERÍA Y CONEXIONES DE FIERRO FUNDIDO

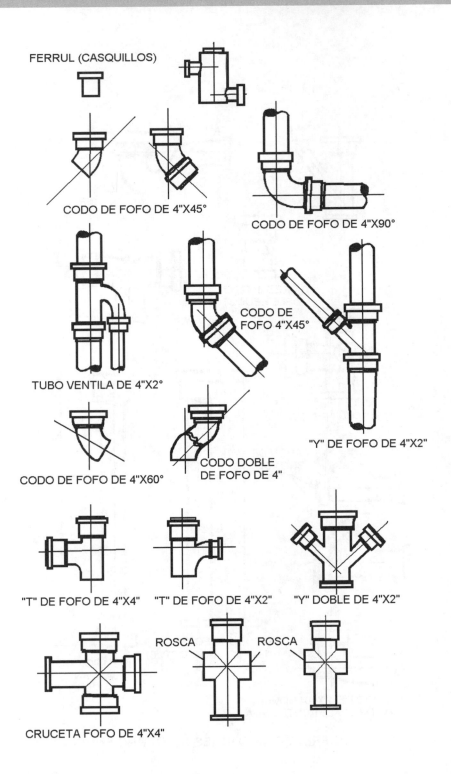

FERRUL (CASQUILLOS)

CODO DE FOFO DE 4"X45°

CODO DE FOFO DE 4"X90°

TUBO VENTILA DE 4"X2°

CODO DE FOFO 4"X45°

"Y" DE FOFO DE 4"X2"

CODO DE FOFO DE 4"X60°

CODO DOBLE DE FOFO DE 4"

"T" DE FOFO DE 4"X4"

"T" DE FOFO DE 4"X2"

"Y" DOBLE DE 4"X2"

CRUCETA FOFO DE 4"X4"

ROSCA   ROSCA

CONEXIONES DE FIERRO FUNDIDO

2.5 MATERIALES PARA INSTALACIONES SANITARIAS.

Los materiales empleados para construir una instalación sanitaria interior, son principalmente el PVC (Policloruro de Vinilo), fierro fundido, cobre y fierro galvanizado.

Los conductos elaborados con estos materiales cumplen con la tarea de conducir las aguas de desecho del interior del edificio y depositarlas en un sistema externo de drenaje. Para este sistema externo, se emplea otro tipo de tuberías construidas con concreto, barro vitrificado, PVC, etcétera. Cuando se requiere, también son empleadas bombas para desalojar aguas residuales en instalaciones sanitarias.

TUBERÍA DE FIERRO FUNDIDO

El fierro fundido tiene como materia prima el hierro, el cual se somete a un proceso de fundición. En este tratamiento se obtiene un hierro con un contenido de 0.05% de carbono, y puede ser considerado como acero extradulce, es decir, muy maleable. Su aplicación en las instalaciones sanitarias es muy extensa, ya que posee las siguientes características:

→ La rigidez de este material, le da una alta resistencia a la instalación contra golpes.

→ No se ve afectada, ni su estructura interna ni su composición química, cuando es sometido a temperaturas someramente altas.

→ Su acoplamiento es perfecto, ya sea por uniones espiga campana o con juntas de neopreno y abrazaderas de acero inoxidable. Sin embargo, el fierro fundido también tiene algunas desventajas, las cuales se mencionan a continuación:

- Su alto costo (comparado con el del PVC), lo hace en muchos de los casos antieconómico.

- El peso por metro lineal de estas tuberías es alto, y esto se puede reflejar en robustos soportes si la instalación fuera aérea.

TUBERÍA DE P.V.C.

El policloruro de vinilo (P.V.C.) es un material plástico sintético, clasificado dentro de los termoplásticos, materiales que arriba de cierta temperatura se convierten en una masa moldeable, a la que se puede dar la forma deseada, y por abajo de esa temperatura se convierten en sólidos.

En la actualidad, los materiales termoplásticos constituyen el grupo más importante de los plásticos comerciales, y entre éstos, los de mayor producción son el PVC y el polietileno (PE).

Como todos los materiales, las tuberías de drenaje presentan ventajas y limitaciones en cada uso específico, las cuales es necesario conocer para lograr mejores resultados en el uso de este tipo de tuberías.

Las ventajas más importantes son:

1. **Ligereza.** El peso de un tubo de PVC es aproximadamente la mitad del peso de un tubo de aluminio, y alrededor de una quinta parte del peso de un tubo de fierro galvanizado de las mismas dimensiones.

2. **Flexibilidad.** Su mayor elasticidad con respecto a las tuberías tradicionales, representa una mayor flexibilidad, lo cual permite un comportamiento mejor frente a éstas.

3. **Paredes lisas.** Con respecto a las tuberías tradicionales, esta característica representa un mayor caudal transportable a igual diámetro, debido a su bajo coeficiente de fricción; además, la sección de paso se mantiene constante a través del tiempo, ya que la lisura de su pared no propicia incrustaciones ni tuberculizaciones.

4. **Resistencia a la corrosión.** Las tuberías de PVC son inmunes a los tipos de corrosión que normalmente afectan a los sistemas de tuberías. Para las aplicaciones típicas de los tubos de P.V.C. son:

   a) Para desagües individuales o de tipo general.

   b) Para bajadas de aguas negras.

   c) Para sistemas de ventilación.

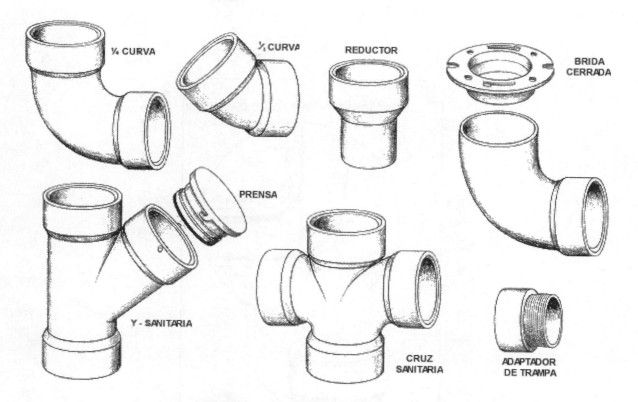

¼ CURVA

½ CURVA

REDUCTOR

BRIDA CERRADA

PRENSA

Y - SANITARIA

CRUZ SANITARIA

ADAPTADOR DE TRAMPA

ELEMENTOS PARA INSTALACIONES DE DRENAJE

La tubería de PVC tiene para su aplicación algunas limitaciones, entre las que se destacan como importantes:

1. La resistencia al impacto del PVC se reduce sensiblemente a temperaturas inferiores a 0°C.

2. Las propiedades mecánicas de la tubería se afectan cuando se expone por períodos prolongados de tiempo a los rayos del sol.

3. El PVC puede sufrir raspaduras durante su manipulación para el trabajo.

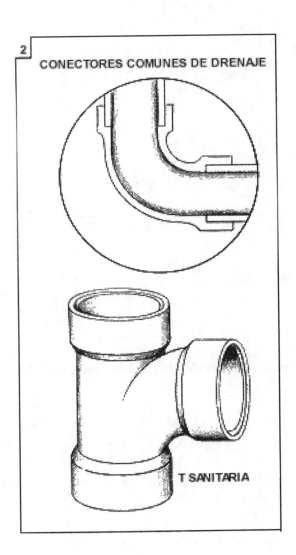

2

CONECTORES COMUNES DE DRENAJE

T SANITARIA

ISOMÉTRICO MOSTRANDO LA APLICACIÓN DE CONECTORES

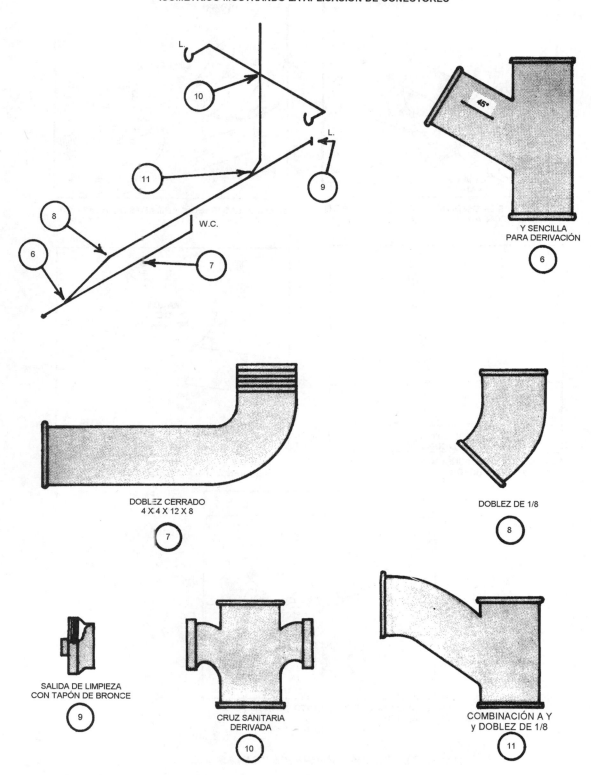

Y SENCILLA
PARA DERIVACIÓN

6

DOBLEZ CERRADO
4 X 4 X 12 X 8

7

DOBLEZ DE 1/8

8

SALIDA DE LIMPIEZA
CON TAPÓN DE BRONCE

9

CRUZ SANITARIA
DERIVADA

10

COMBINACIÓN A Y
y DOBLEZ DE 1/8

11

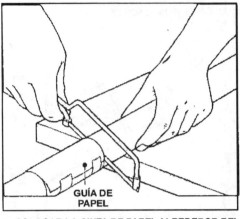

1.- COLOCAR LA CINTA DE PAPEL ALREDEDOR DEL
TUBO Y CORTAR

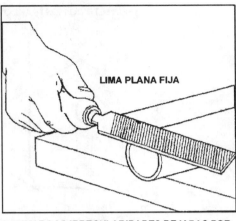

2.- LIMAR LAS IRREGULARIDADES DEJADAS POR
EL CORTE

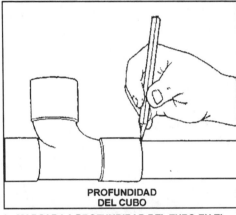

3.- MARCAR LA PROFUNDIDAD DEL TUBO EN EL
CUBO O CONDUCTOR

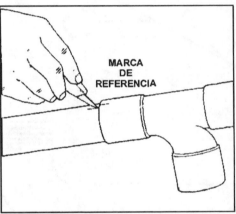

4.- MARCAR EL CONECTOR Y EL TUBO PARA
REFERENCIA DE ALINEACIÓN

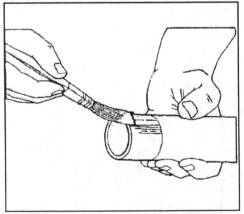

5.- APLICAR CEMENTO TANTO AL TUBO COMO
AL HERRAJE

MANEJO DE TUBOS Y HERRAJES DE PLÁSTICO

CAMBIO DE DIRECCIÓN HORIZONTAL-HORIZONTAL

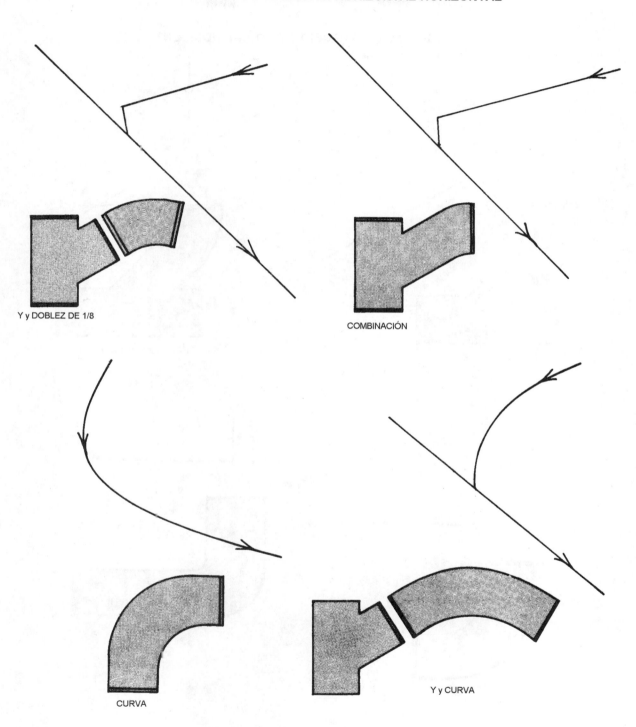

Y y DOBLEZ DE 1/8

COMBINACIÓN

CURVA

Y y CURVA

CAMBIO DE DIRECCIÓN VERTICAL-HORIZONTAL

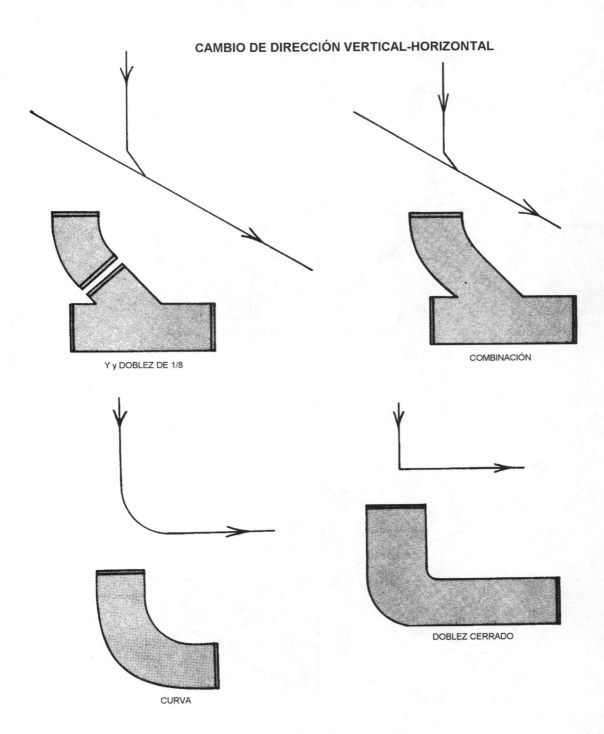

Y y DOBLEZ DE 1/8

COMBINACIÓN

CURVA

DOBLEZ CERRADO

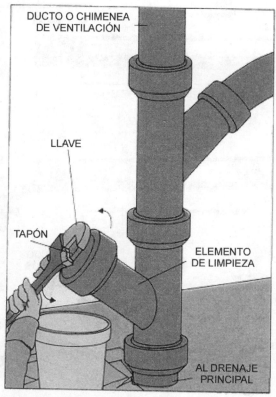

DETALLES DE DUCTOS DE VENTILACIÓN

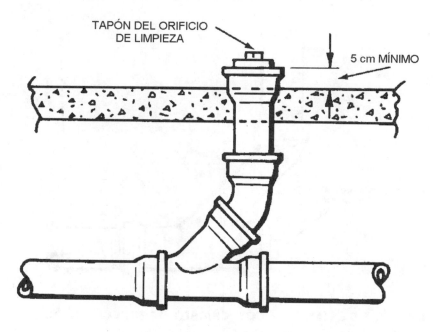

SALIDA PARA DRENAJE EN UNA CONSTRUCCIÓN

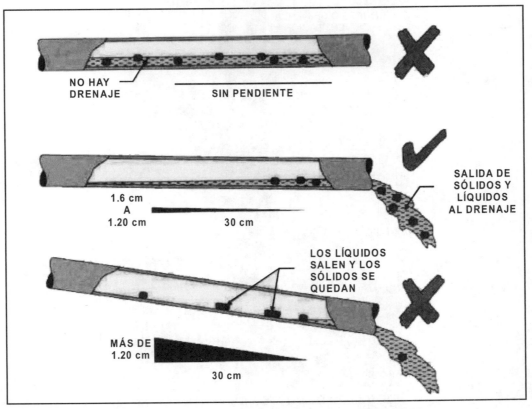

EFECTO DE LA PENDIENTE EN LOS DRENAJES

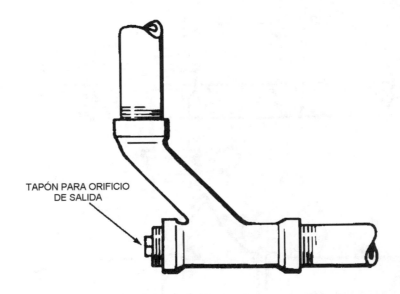

DRENAJE DE LIMPIEZA CON CAMBIO DE DIRECCIÓN DE 90°

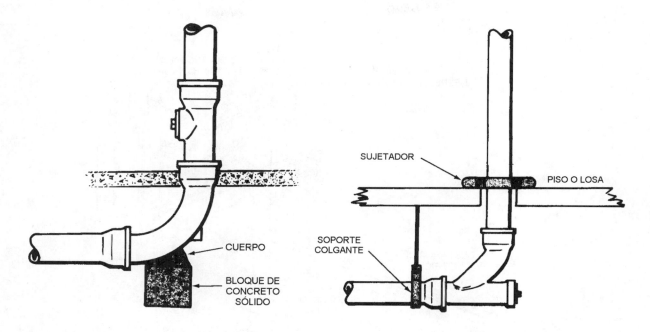

UNA BASE PARA DRENAJE SE DEBE FIJAR BAJO EL NIVEL DEL PISO O LOSA CON UN BLOQUE DE CONCRETO

UNA BASE PARA CONCRETO TAMBIÉN SE PUEDE SOPORTAR CON ELEMENTOS (SOPORTES, COLGANTES Y SUJETADORES DE MURO)

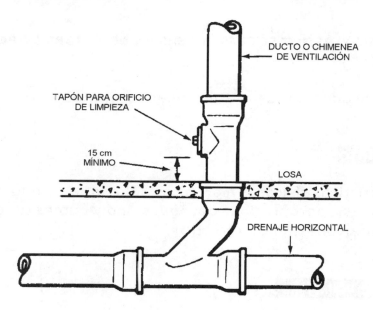

BASE DE LIMPIEZA PARA UN DUCTO O CHIMENEA

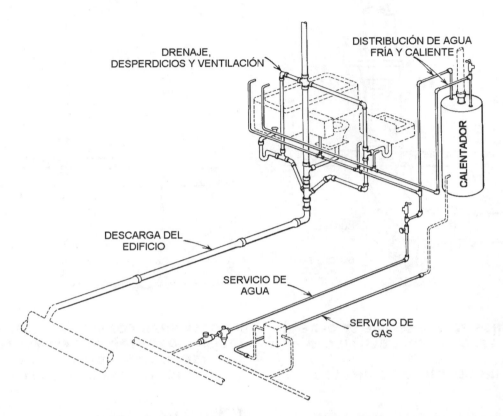

DRENAJE,
DESPERDICIOS Y VENTILACIÓN

DISTRIBUCIÓN DE AGUA
FRÍA Y CALIENTE

CALENTADOR

DESCARGA DEL
EDIFICIO

SERVICIO DE
AGUA

SERVICIO DE
GAS

LAS TUBERÍAS DE PLÁSTICO SE PUEDEN USAR EN DESCARGAS DE AGUA RESIDUAL

Otras tuberías usadas en las instalaciones sanitarias son:

ALBAÑAL DE CEMENTO

Por sus características físicas y mecánicas sólo se usa en la planta baja de las construcciones, para recibir desagües individuales y generales, así como para la interconexión de registros.

TUBERÍA DE BARRO VITRIFICADO

Sus propiedades y características físicas son similares a las del albañal de cemento, por lo que en algunas veces lo puede sustituir, y en ocasiones se usa para evacuar fluidos corrosivos.

TUBERÍA DE PLOMO

La tubería de plomo es en la actualidad de poco uso y se aplica normalmente en las casas habitación para recibir el desagüe de los W.C., de fregaderos y evacuar ácidos y todo tipo de fluidos corrosivos en tramos cortos.

TUBERÍA DE COBRE

La tubería de cobre, además de ser usada en instalaciones hidráulicas, se emplea también en instalaciones sanitarias para drenaje y ventilación, sus aplicaciones principales se encuentran en:

a) Desagües individuales de lavabos, fregaderos, vertederos, etcétera.

b) Para la conexión de las coladeras de piso a las tuberías de desagüe general, de albañal, fierro fundido, PVC, etcétera.

c) Para la conexión de las coladeras de pisos de fuentes.

Usando conectores

Los tubos de cobre con extremos roscados o los tubos de plástico rígidos no tienen suficiente flexibilidad como para formar una conexión T en una trayectoria existente, por lo que es necesario instalar uniones roscadas o uniones a base de anillos deslizantes.

Cuando se usan anillos deslizantes, se corta la línea y se retira una sección lo suficientemente larga como para insertar la unión T. Si se usa un espaciador, puede ayudar a dar facilidad a la colocación de T en la línea existente. Se coloca el espaciador T y se desliza el anillo dentro de la trayectoria del tubo y se aplica una vez que está en posición soldadura o solvente para soldar las uniones.

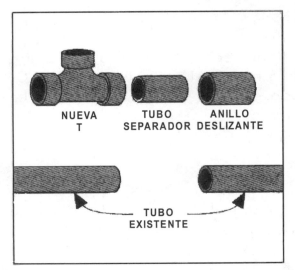

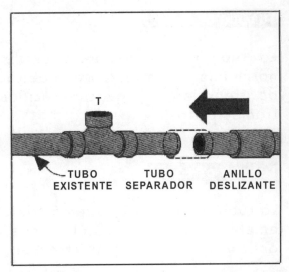

USO DE UNIONES DESLIZANTES

Las uniones roscadas se compensan por el hecho de que todo tubo está roscado en la misma dirección, en caso de que existan uniones en la trayectoria existente, se aflojan los anillos de la unión, se separan de los herrajes y se retira el tubo de un lado y otro, ahora se instala una nueva T y un niple y se vuelve a reensamblar como se muestra en la siguiente figura. En caso de que no exista unión en la trayectoria existente, simplemente se corta el tubo en donde se requiera y se agrega una unión.

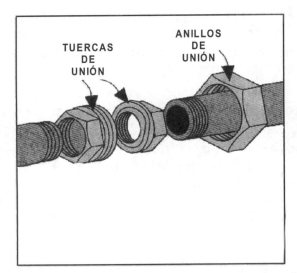

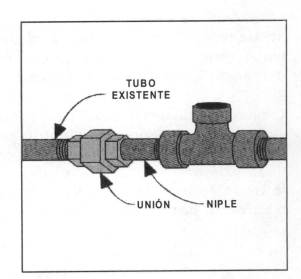

USO DE UNIONES ROSCADAS

2.6   VÁLVULAS Y OTROS ACCESORIOS.

Una válvula es un elemento o accesorio instalado en los sistemas de tuberías para controlar el flujo de un fluido dentro de tal sistema, en una o más de las formas siguientes:

1. Para permitir el paso del flujo.

2. Para no permitir el paso del flujo.

3. Para controlar el flujo.

Para cumplir con estas funciones se pueden instalar distintos tipos de válvulas, las más empleadas en las instalaciones de las edificaciones son las que en forma esquemática se indican a continuación:

   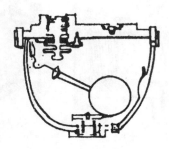   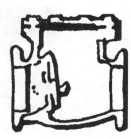

1. DE GLOBO   2. DE AIRE   3. SELLO

VÁLVULAS

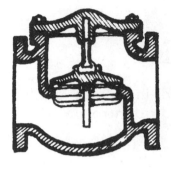

VÁLVULA CHECK
HORIZONTAL

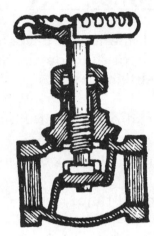

VÁLVULA DE GLOBO
DE BRONCE

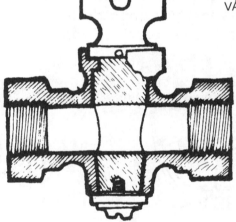

VÁLVULA O LLAVE DE CUADRO

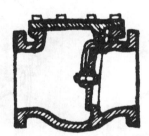

VÁLVULA CHECK
OSCILANTE

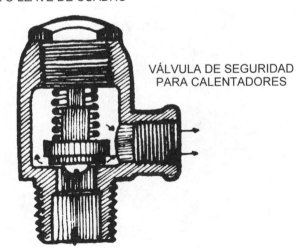

VÁLVULA DE SEGURIDAD
PARA CALENTADORES

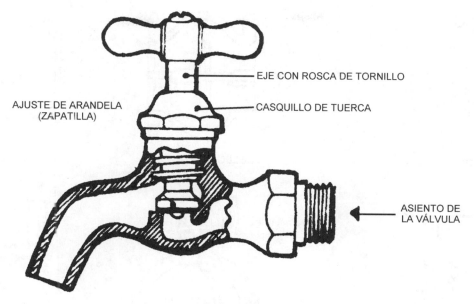

EJE CON ROSCA DE TORNILLO

CASQUILLO DE TUERCA

AJUSTE DE ARANDELA
(ZAPATILLA)

ASIENTO DE
LA VÁLVULA

LLAVE DE NARIZ

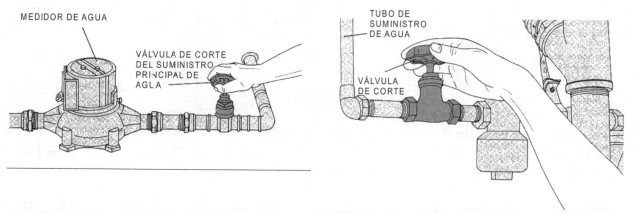

MEDIDOR DE AGUA

VÁLVULA DE CORTE
DEL SUMINISTRO
PRINCIPAL DE
AGUA

TUBO DE
SUMINISTRO
DE AGUA

VÁLVULA
DE CORTE

TODAS LAS INSTALACIONES HIDRÁULICAS EN CASAS-HABITACIÓN CUENTAN CON VÁLVULA DE CORTE DEL SUMINISTRO PRINCIPAL DEL AGUA, QUE SIRVE PARA CORTAR TOTALMENTE LA ALIMENTACIÓN EN CASO DE FUGAS O REPARACIONES A LA INSTALACIÓN.

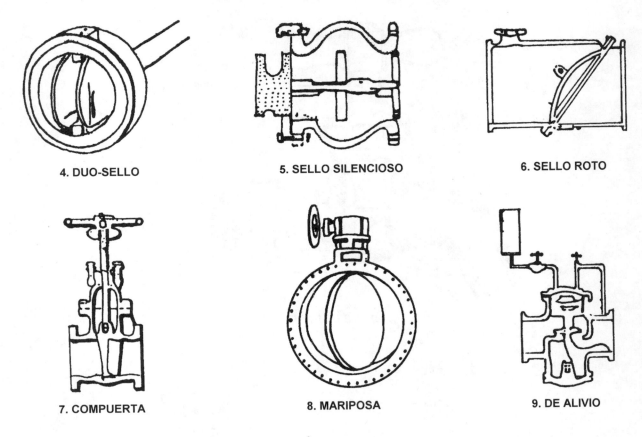

4. DUO-SELLO   5. SELLO SILENCIOSO   6. SELLO ROTO

7. COMPUERTA   8. MARIPOSA   9. DE ALIVIO

VÁLVULAS

Válvula de compuerta. En este tipo de válvulas, el órgano de cierre corta la vena fluida transversalmente. No se utilizan para regular flujo sino para aislarlo, o sea, abiertas o cerradas totalmente.

Válvula de globo. El mecanismo de esta válvula consiste en un disco, accionado por un tornillo, que se empuja hacia abajo contra un asiento circular. Estas válvulas sí se utilizan para regular o controlar el flujo en una tubería, aunque producen pérdidas de carga muy altas.

Válvula check de sello y de retención. Estas válvulas se utilizan para dejar pasar el flujo en un sólo sentido y se abren o cierran por sí solas en función de la dirección y presión del fluido.

Válvula de esfera. Esta válvula tiene un asiento con un perfil esférico y en él se ajusta la bola y puede funcionar con la presión ejercida sobre ella por el fluido, o bien, mediante un maneral que al girarse 90° se coloca en dirección de la tubería. Una perforación hecha a través de la esfera, al ser girado el maneral 90° nuevamente, esa perforación también gira, quedando perpendicular al flujo, cerrando el paso al líquido.

Electroválvulas. Pueden ser cerradas y abiertas a distancia mediante un interruptor, que permite actuar a un electroimán acoplado a su vástago, llamada también válvula de solenoide. Se usan en cisternas y tinacos.

Válvula de expulsión de aire. Las válvulas de expulsión de aire, como su nombre lo indica, se usan para dejar salir el aire acumulado en una tubería, tanto de agua fría como de agua caliente, en especial en esta última son imprescindibles.

Los usos de las válvulas en las instalaciones hidráulicas (de plomería) se hacen de acuerdo a las siguientes formas de localización:

1. Un grifo o llave de la compañía suministradora de agua (servicio municipal) se instala en la conexión con el servicio principal de suministro.

2. Una llave o grifo de contención se localiza cerca de la línea de contención del edificio o casa, con el propósito de proporcionar un medio de control del servicio del agua al edificio o casa.

3. Una válvula de paso se instala a cada lado del medidor de agua, ya sea válvula de compuerta, válvula de globo o válvula de mariposa.

4. Si es necesario, una válvula de reducción de presión se puede instalar entre las válvulas del medidor.

5. Se instala una válvula de paso sobre el suministro de agua fría hacia todos los equipos que usan agua caliente.

6. Se instala una válvula de silicio sobre todos los equipos para producir agua caliente.

7. Todas las válvulas o grifos de umbral se deben proveer con una válvula de control que se localiza dentro del edificio.

8. Todos los W.C. deben tener una válvula de control del accesorio y esto es recomendable para la mayoría de los accesorios.

9. En los edificios de departamentos, cada departamento debe estar provisto de válvulas de corte para controlar los suministros de agua caliente y fría, y en los departamentos cada accesorio debe tener su propia válvula de control, para facilitar los trabajos de reparación.

VÁLVULAS DE GLOBO

Una válvula de globo es del tipo comprensión, en la cual el flujo del agua se controla por medio de un disco circular que es comprimido (forzado) sobre un anillo anular conocido como el "asiento" que cierra la apertura por la que circula el agua.

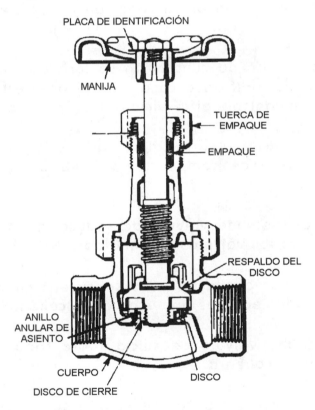

PLACA DE IDENTIFICACIÓN

MANIJA

TUERCA DE EMPAQUE

EMPAQUE

RESPALDO DEL DISCO

ANILLO ANULAR DE ASIENTO

CUERPO

DISCO

DISCO DE CIERRE

PARTES DE UNA VÁLVULA DE GLOBO

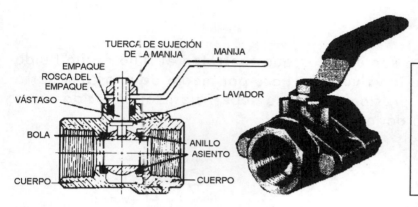

> Esta válvula controla el flujo de un fluido por medio de un disco circular que es forzado sobre un asiento.

PARTES DE UNA VÁLVULA DE GLOBO

VÁLVULA DE ÁNGULO

Una válvula de ángulo es un tipo de válvula de globo en la cual las aperturas de entrada y salida están a un ángulo de 90° una con respecto a la otra, estas válvulas ofrecen menor resistencia que las de globo, usando codos externos de 90°.

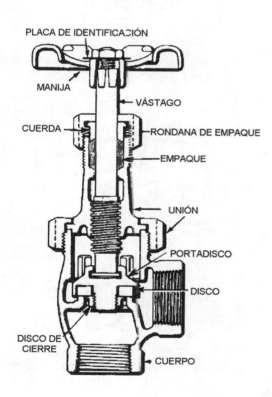

> Una válvula de ángulo es un tipo de válvula de globo en la cual las aperturas de entrada y salida están a un ángulo de 90°, una con respecto a la otra. Se recomienda en instalaciones que requieren de frecuentes operaciones de cierre y/o apertura.

VÁLVULA DE ÁNGULO

VÁLVULAS DE COMPUERTA

Las válvulas de compuerta son válvulas que controlan el flujo de un fluido que se mueve a través de la válvula; se hace por medio de una compuerta como un disco plano que presiona sobre la superficie lisa, conocida como asiento dentro del cuerpo de la válvula.

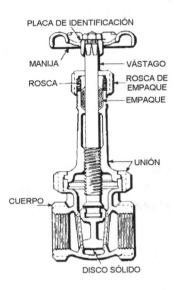

VÁLVULA DE COMPUERTA
CON DISCO SÓLIDO Y VÁSTAGO ELEVADOR

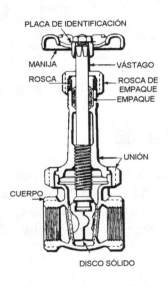

VÁLVULA DE COMPUERTA
CON DISCO SECCIONADO

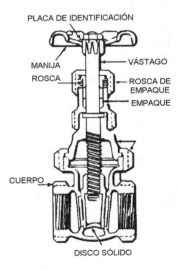

VÁLVULA DE COMPUERTA CON VÁSTAGO
NO ELEVADOR

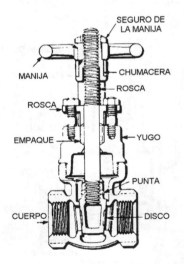

VÁLVULA DE COMPUERTA CON DISCO
Y YUGO ELEVADOR

TIPOS DE VÁLVULAS DE COMPUERTA

En las válvulas tipo compuerta, cuando el disco está en la posición de abierto se permite el paso libre y directo del flujo, por eso se conocen también como de flujo completo. Las válvulas de compuerta son de las más usadas en las instalaciones hidráulicas en donde se requiere que estén totalmente abiertas o cerradas.

VÁLVULAS DE SELLO

Una válvula de sello es una válvula que permite el flujo del agua en una sola dirección y cierra en forma automática para prevenir el flujo inverso, éstas válvulas ofrecen una reacción rápida a los cambios en la dirección del flujo. Están disponibles en dos versiones: de sello oscilante y con sello elevador.

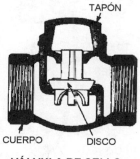

VÁLVULA DE SELLO ELEVADOR

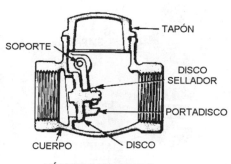

VÁLVULA DE SELLO OSCILANTE

LAS VÁLVULAS DE SELLO PERMITEN EL FLUJO DE UN FLUIDO EN UNA SOLA DIRECCIÓN

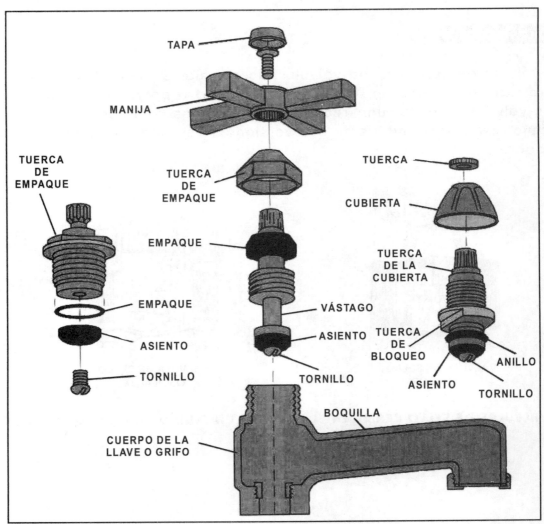

PARTES DE UNA LLAVE O GRIFO TIPO COMPRESIÓN

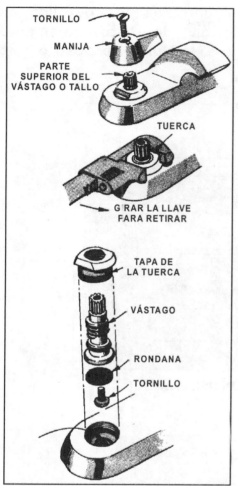

PARTES DE UNA LLAVE O GRIFO PARA BAÑO

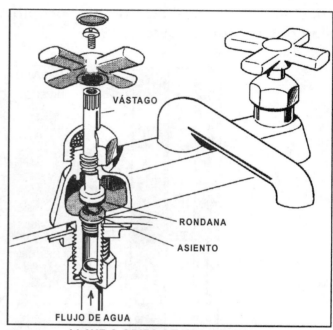

LLAVE O GRIFO DE UNA COCINA

Otros accesorios y elementos que se deben considerar en las instalaciones hidráulicas son:

→ Lavabos.

→ Fregaderos.

→ Lavaderos.

→ Alimentación a inodoros (W.C.).

→ Alimentación a tinas de baño.

En las siguientes figuras, se muestran algunos de los detalles más importantes a considerar en la instalación de estos elementos, considerando tubos de drenaje, acoplamientos, válvulas de paso o corte, trampas o sifones, etcétera.

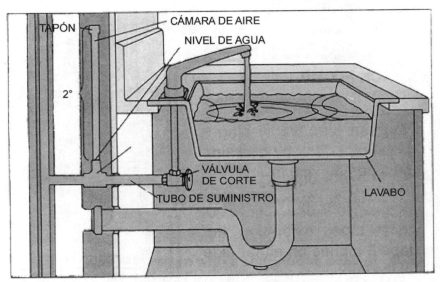

DETALLE DE INSTALACIÓN DEL LAVABO

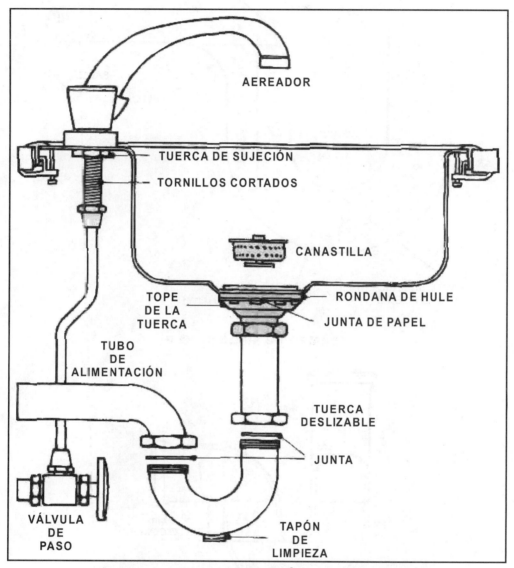

AEREADOR

TUERCA DE SUJECIÓN

TORNILLOS CORTADOS

CANASTILLA

TOPE
DE LA
TUERCA

RONDANA DE HULE

JUNTA DE PAPEL

TUBO
DE
ALIMENTACIÓN

TUERCA
DESLIZABLE

JUNTA

VÁLVULA
DE
PASO

TAPÓN
DE
LIMPIEZA

DETALLE DE INSTALACIÓN DE UN LAVABO

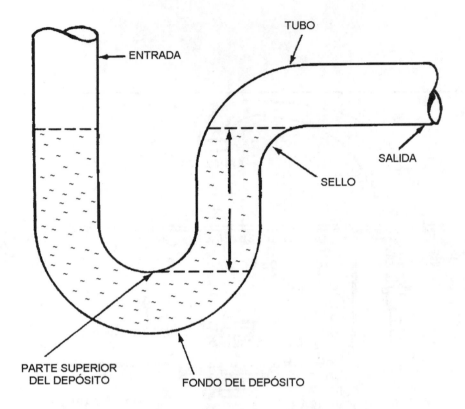

TRAMPA DE SIFÓN TIPO P

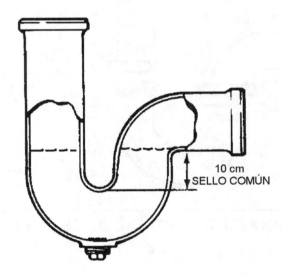

TRAMPA DE SIFÓN PROFUNDO

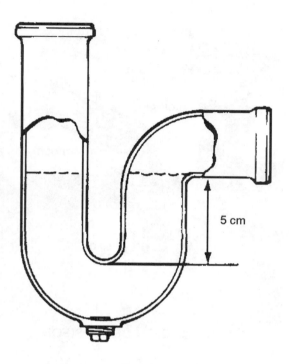

5 cm

TRAMPA DE SIFÓN

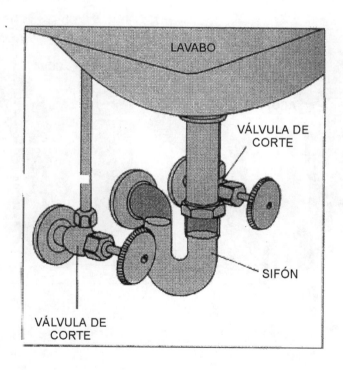

LAVABO

VÁLVULA DE
CORTE

VÁLVULA DE
CORTE

SIFÓN

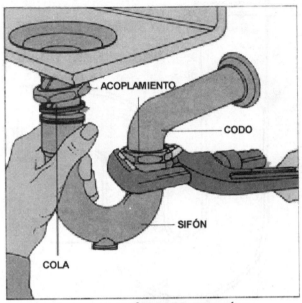

COLOCACIÓN DE UN SIFÓN

TIPOS DE SIFONES O TRAMPAS

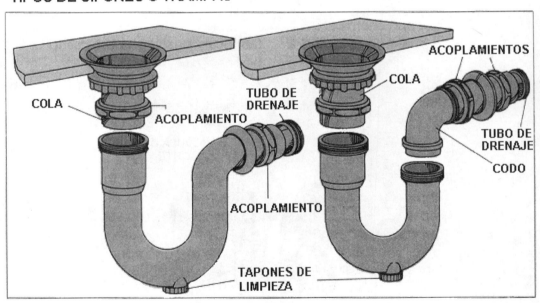

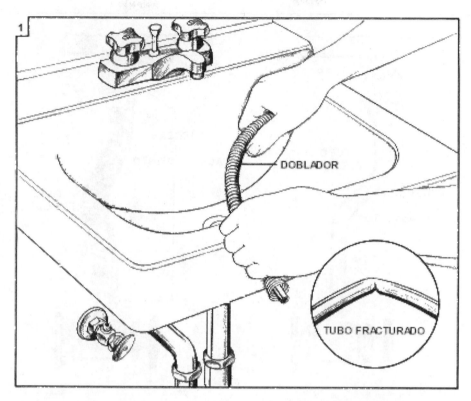

DOBLADOR

TUBO FRACTURADO

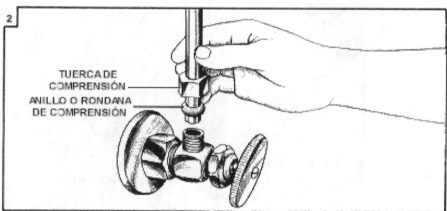

TUERCA DE
COMPRENSIÓN

ANILLO O RONDANA
DE COMPRENSIÓN

1. EL TUBO FLEXIBLE SE CORTA CON UN ARCO Y SEGUETA O UN CORTADOR DE
    TUBO. SE RETIRAN LAS REBABAS Y SE PROCURA DEJAR PERFECTAMENTE
    REDONDEADOS LOS EXTREMOS. PARA DOBLAR, SE USA UNA DOBLADORA Y ASÍ
    EVITAR QUE SE FRACTURE.

2. PARA INSTALAR ACCESORIOS, USAR HERRAMIENTAS ESPECIALES AJUSTANDO
    CON TUERCAS Y RONDANAS DE PRESIÓN.

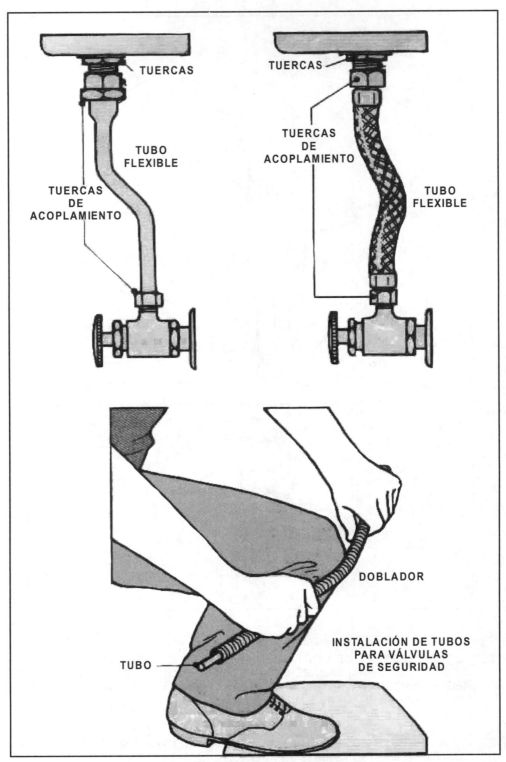

TUERCAS

TUBO
FLEXIBLE

TUERCAS
DE
ACOPLAMIENTO

TUERCAS

TUERCAS
DE
ACOPLAMIENTO

TUBO
FLEXIBLE

DOBLADOR

INSTALACIÓN DE TUBOS
PARA VÁLVULAS
DE SEGURIDAD

TUBO

USO DE DOBLADOR DE TUBO

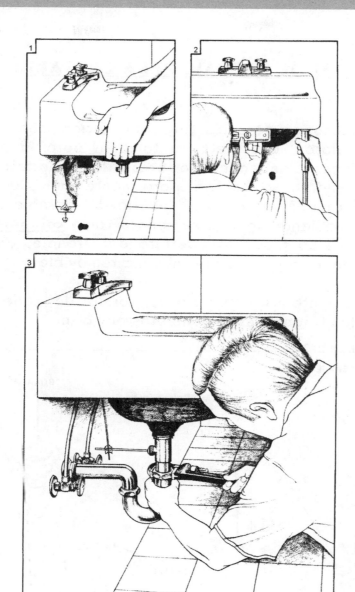

1. SE DEBE COLOCAR EL LAVABO CUIDADOSAMENTE EN LA PARED SOBRE LA BASE DISEÑADA EXPROFESO PARA ELLO.

2. SE DEBE NIVELAR PERFECTAMENTE USANDO UN NIVEL DE BURBUJA, EMPLEANDO SOPORTES PARA AUXILIARSE.

3. PARA COMPLETAR LA INSTALACIÓN, PRIMERO SE CONECTAN LAS MANGUERAS DE ALIMENTACIÓN DE AGUA FRÍA Y CALIENTE Y DESPUÉS EL DRENAJE, USANDO LAS HERRAMIENTAS APROPIADAS.

2.7 **ACCESORIOS DE DRENAJE PARA LAS TARJAS DE COCINA.**

Dado que los accesorios para las tarjas de cocina, son usados para la limpieza de los platos, ollas, etc., y también para la preparación de alimentos, los plomeros deben instalar accesorios especiales para drenaje en cada compartimiento de la tarja, para mantener los desechos sólidos de partículas de comida fuera de la tubería del drenaje, este accesorio (mostrado en la siguiente figura), se conoce como **coladera o canastilla**. Consiste de un cuerpo fijo a la apertura del drenaje, en el fondo del comportamiento de la tarja y de la canastilla removible.

En la figura siguiente, se muestra la forma de conexión de estos accesorios para los fregadores o lavaplatos de cocina.

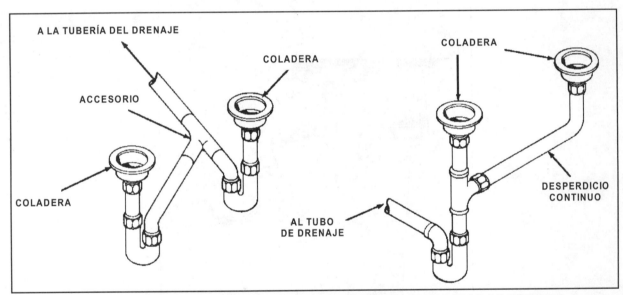

MÉTODOS DE CONEXIÓN DE LOS FREGADEROS O LAVAPLATOS DE COCINA

 2.8 **INSTALACIÓN DE LLAVES DE AGUA O GRIFOS.**

Se podría decir en forma un tanto coloquial, que seleccionar las llaves de agua para una cierta aplicación, es como seleccionar un par de zapatos, ya que se debe escoger dentro de una gran cantidad de estilos, de manera que se debe estar seguro que satisface los requerimientos en forma apropiaca.

Cuando se está reemplazando una llave o grifo existente, se debe medir la distancia entre los tubos de suministro de agua, como se muestra en la siguiente figura, y después se desconecta la llave o grifo por reemplazar. La llave nueva debe cubrir o llenar los agujeros en el lavabo, tarja, o bien en el mueble de baño, en forma exacta.

Si por otra parte, se está instalando una llave o grifo totalmente nuevo, entonces se debe seleccionar primero el mueble de baño, lavabo, etc., y después comprcr la llave o grifo. No se debe preocupar acerca de las conexiones de alimentación, ya que se pueden usar tubos y conectores de plástico flexible que permiten compensar las diferencias entre la separación de las llaves y las válvulas de corte.

La desconexión de las llaves o grifos viejos (cuando son reemplazados), puede tener algunos problemas cuando las conexiones viejas están corroídas, para esto, se corto primero el suministro de agua en forma local, se busca un depósito para capturar el agua residual que queda en la tubería y se aflojan cuidadosamente las tuercas conectoras, haciendo uso de alguna llave stillson o perico y mordazas ajustables.

Cuando las conexiones están muy adheridas, se puede usar aceite penetrante para aflojar; se espera unos 20 minutos antes de intentar otra vez.

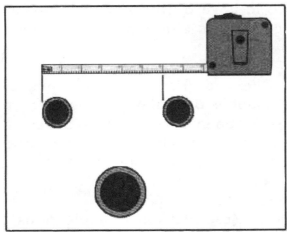

1.- PARA LA DISTANCIA ENTRE CENTROS DE LOS TUBOS,
MEDIDOS DESDE EL FILO EXTERIOR DE UNO DE LOS
LADOS.

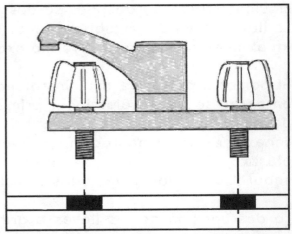

2.- INSERTAR LAS CONEXIONES DEL GRIFO EN LOS AGUJEROS,
SE DEBE REFERIR A LAS INSTRUCCIONES PARTICULARES.

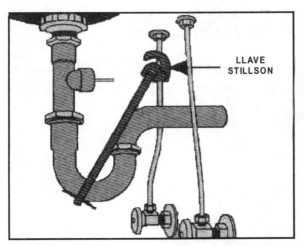

LLAVE
STILLSON

3.- PARA CONECTAR LOS TUBOS SE PUEDE REQUERIR DE
UNA LLAVE AJUSTABLE.

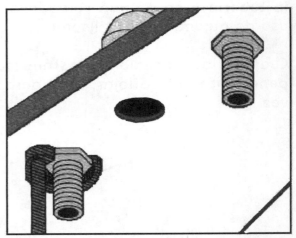

4.- SE APRIETAN LAS TUERCAS DEBAJO DEL MUEBLE ANTES
DE CONECTAR LOS TUBOS DE ALIMENTACIÓN DE AGUA.

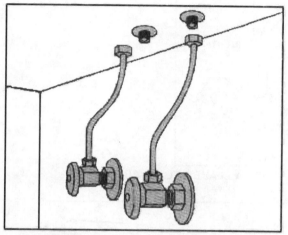

5.- ALGUNAS CONEXIONES CON TUBO DE COBRE TIENEN HERRAJES A PRESIÓN, TENER CUIDADO DE NO EJERCER MUCHA PRESIÓN.

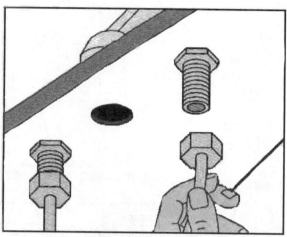

6.- SI SE USAN TUBOS DE COBRE SE DEBEN DOBLAR CUIDADOSAMENTE.

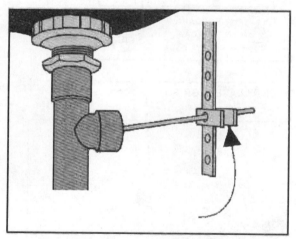

7.- SE PUEDE INSTALAR ELEMENTO DE CIERRE.

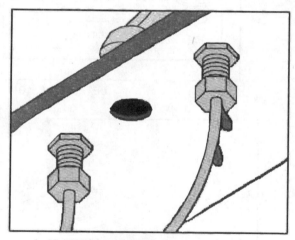

8.- SE ABREN LAS LLAVES Y SE PRUEBAN FUGAS.

PROCEDIMIENTOS PARA LA INSTALACIÓN DE LLAVES O GRIFOS

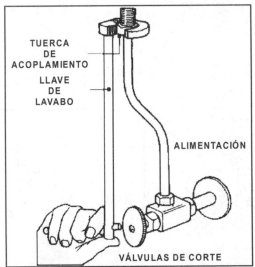

SE DESCONECTA LA ALIMENTACIÓN DE LA LLAVE DEL LAVABO

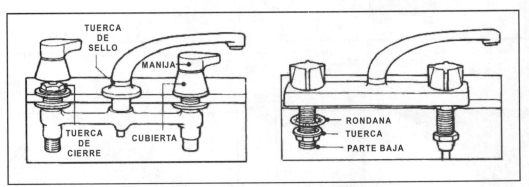

DETALLE DE MONTAJE DE UNA LLAVE O GRIFO

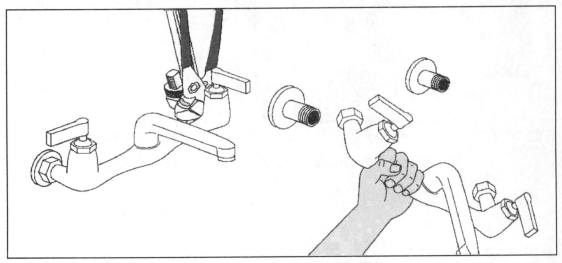

INSTALACIÓN DE LLAVES O GRIFOS EN TINAS DE BAÑO

ESTILOS DE FREGADEROS

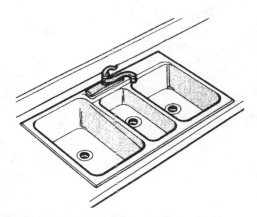

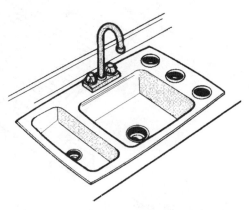

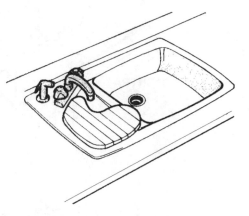

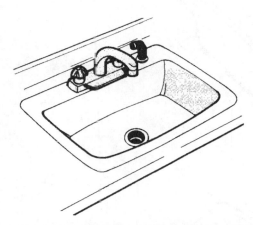

PILA SENCILLA. ESTE FREGADERO ES ECONÓMICO, PERO INCÓMODO PARA LAVAR Y ENJUAGAR LOS TRASTES

PILA DOBLE. EXISTEN MUCHAS CONFIGURACIONES, ALGUNAS CON TABLAS DE REBANAR OPCIONALES Y GRIFO MONTADO EN UNA ESQUINA.

PILA TRIPLE. ESTA UNIDAD ES UNOS 30.5 cm. (12") MÁS ANCHA QUE UN FREGADERO DE DOBLE PILA.

FREGADERO DE BAR. EL GRIFO ALTO ES UNA CARACTERÍSTICA ESTÁNDAR; LA PILA PARA HIELO Y LAS COPAS DE ADORNO SON OPCIONALES

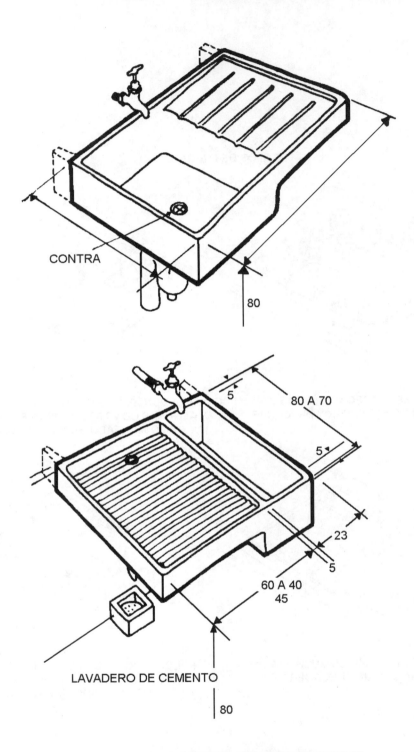

CONTRA

80

5

80 A 70

5

23

5

60 A 40
45

LAVADERO DE CEMENTO

80

ALGUNOS TIPOS DE LAVADEROS Y FREGADEROS PREFABRICADOS

2.9 INSTALACIÓN O CAMBIO DE UN TOILET (INODORO).

Instalar o cambiar un toilet podría parecer como un gran proyecto, pero en realidad no es muy difícil. Si se trata de cambiar un toilet existente, lo primero que se hace es cortar el suministro del agua con la llave de corte, accionar la palanca para vaciar el tanque y con una esponja secar los residuos de agua en el fondo. Entonces se retiran los tornillos que sujetan al tanque con la taza y se retira el tanque. Para hacer circular el agua que queda en la taza, se usa una bomba de plomero para forzar su salida, se retiran los tornillos en cada lado de la base, es decir, se quita la tapa del tornillo y la tuerca y tornillo de los llamados tornillos cerrados.

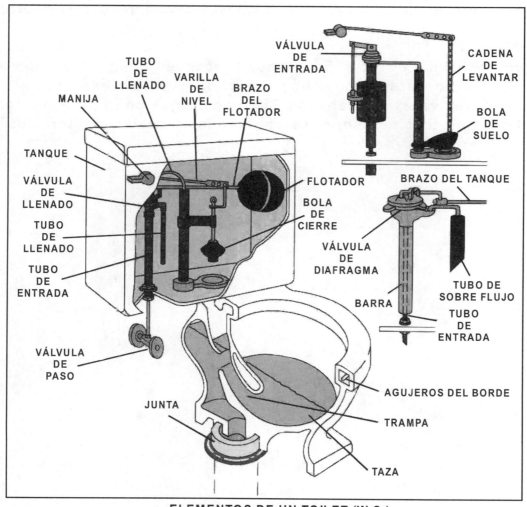

ELEMENTOS DE UN TOILET (W.C.)

Para instalar el nuevo toilet, se debe raspar cualquier residuo de la junta de la taza sobre el piso, se retiran los tornillos viejos y se deslizan los nuevos en su lugar, centrando en ambos lados. Se puede presionar sobre la nueva junta en el lugar sobre el borde y se coloca la nueva taza en su sitio.

Ahora, se ajusta la taza en su lugar centrando los tornillos sobre los agujeros de la taza, se colocan tuercas y rondanas y se aprietan en forma alterna para que la taza asiente uniformemente, se corta la parte saliente de los tornillos y se liman para quitar rebabas. A continuación, se coloca la rondana suave del tanque sobre la taza, alineando sobre el tubo de descarga y se insertan los tornillos del tanque con las rondanas de hule debajo de las cabezas, se ajusta el llamado colchón del tanque sobre la taza. Se cubre la junta y uniones con pasta selladora y se aprietan los tornillos.

Se abre la llave de corte para que ingrese el agua al tanque y se inspecciona para determinar si hay fugas, después, se descarga el toilet unas dos o tres veces y se observa si no hay fugas en la base del tanque y en el piso; en caso necesario, se aprietan las conexiones y tornillos.

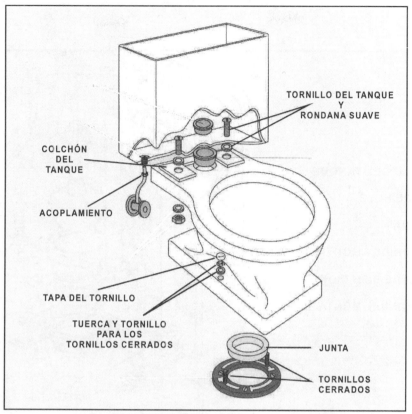

FASES DE MONTAJE DE UN TOILET (W.C.)

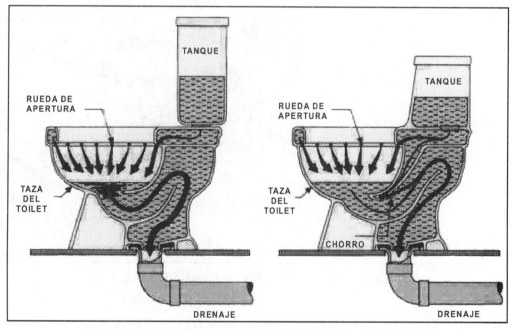

LOS NIVELES DE AGUA MOSTRADOS SON DURANTE LA DESCARGA

1.- TORNILLO DEL TANQUE

2.- JUNTA DE HULE

3.- RONDANA

4.- COLCHÓN DE AMORTIGUAMIENTO

5.- TUERCA DE SUJECIÓN

6.- SUJECIÓN DEL MONTAJE

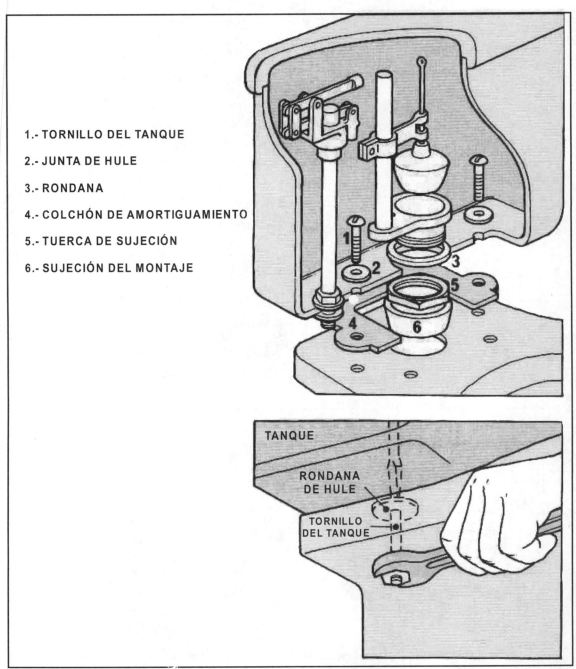

ENSAMBLE TÍPICO DE UN TANQUE DE TOILET

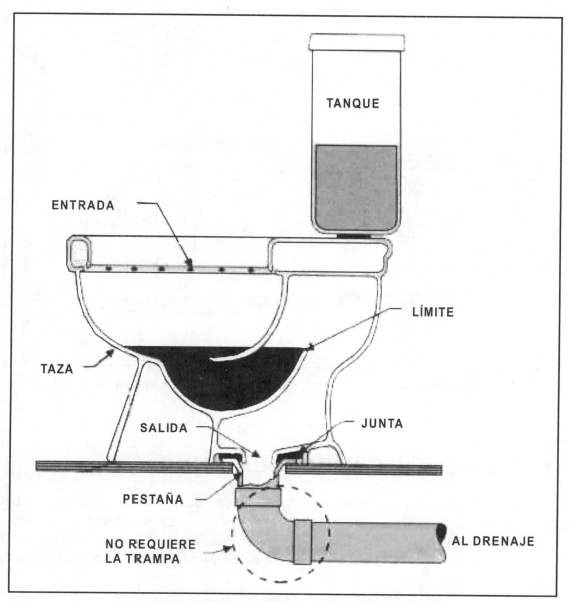

DETALLE DE LA SALIDA DE UN TOILET

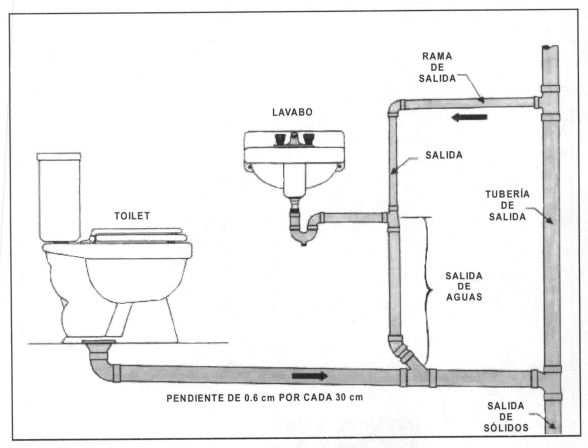

ELEMENTOS DE LA INSTALACIÓN DEL TOILET (INODORO) Y LAVABO EN UN BAÑO

2.10 INSTALACIONES DE TINAS Y REGADERAS.

Si se está construyendo o reconstruyendo un baño, y se planea instalar una regadera y una tina, se debe comenzar por seleccionar la unidad o tina, de preferencia las medidas estándar de las tinas son: 1.40, 1.50 ó 1.68 m de largo; aún cuando se pueden encontrar también muchas medidas no estándar.

Las tinas recubiertas de chapa de acero son relativamente ligeras y poco caras , se aíslan convenientemente en la instalación y son poco ruidosas.

Las tinas de acero porcelanizado son más durables, pero también un poco más costosas y pesadas; entre estas versiones de tinas se tienen también las de fibra de vidrio, que pueden incluir paneles que son moldeables, por lo que el sellado alrededor de ellas puede ser más sencillo.

Para las regaderas, se puede adquirir una base de receptor estándar y construir la propia estructura que contenga tina y regadera o sólo la regadera, a base de perfiles de aluminio y placas de plástico como paredes. En las siguientes figuras, se muestra la forma típica de instalación para regaderas y tinas.

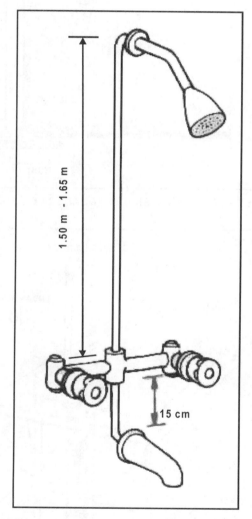

DETALLE DE INSTALACIÓN DE REGADERA Y LLAVES PARA TINA

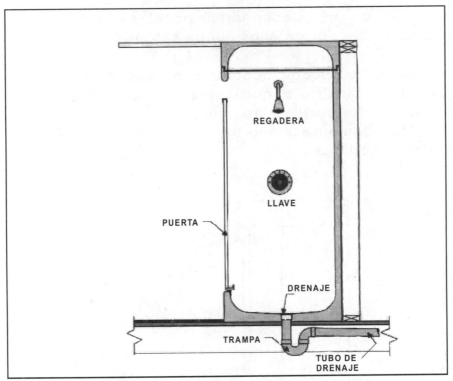

SISTEMA DE DRENAJE EN UNA REGADERA DE BAÑO

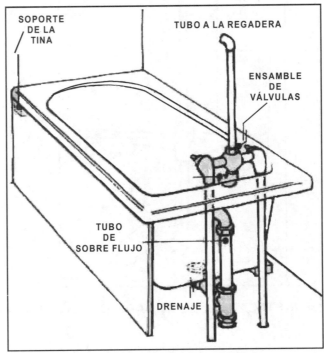

MONTAJE DE UNA TINA

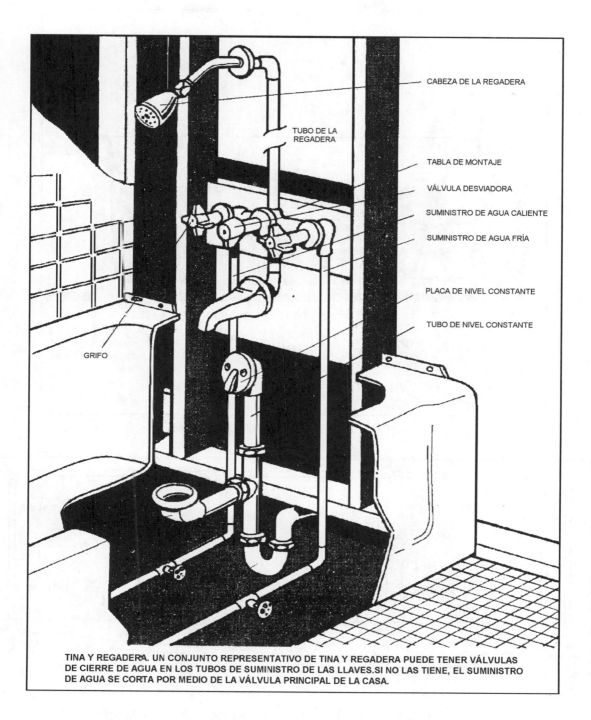

CABEZA DE LA REGADERA

TUBO DE LA REGADERA

TABLA DE MONTAJE

VÁLVULA DESVIADORA

SUMINISTRO DE AGUA CALIENTE

SUMINISTRO DE AGUA FRÍA

PLACA DE NIVEL CONSTANTE

TUBO DE NIVEL CONSTANTE

GRIFO

TINA Y REGADERA. UN CONJUNTO REPRESENTATIVO DE TINA Y REGADERA PUEDE TENER VÁLVULAS DE CIERRE DE AGUA EN LOS TUBOS DE SUMINISTRO DE LAS LLAVES. SI NO LAS TIENE, EL SUMINISTRO DE AGUA SE CORTA POR MEDIO DE LA VÁLVULA PRINCIPAL DE LA CASA.

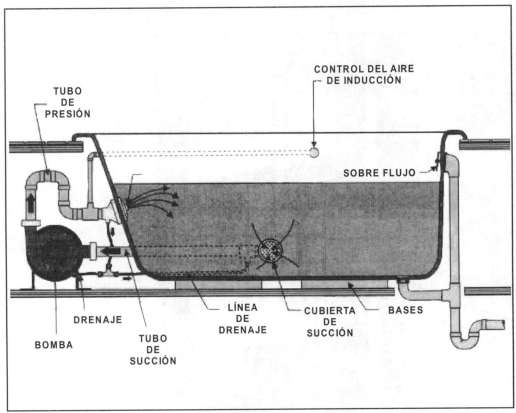

INSTALACIÓN DE UNA TINA DE BAÑO

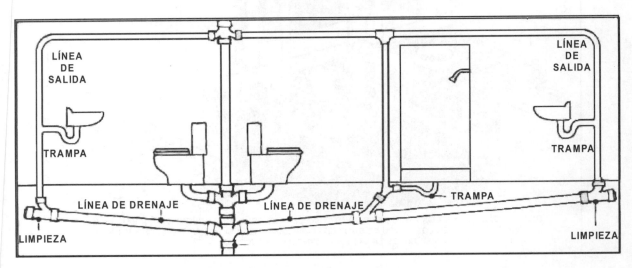

LÍNEA DE SALIDA DE TOILETS, REGADERA Y LAVABOS

EMERGENCIAS CON INSTALACIONES DE AGUA

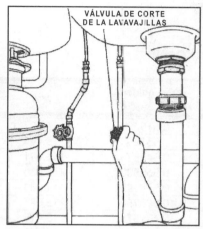  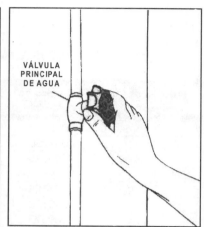

1.- SE CIERRA O SE CORTA EL SUMINISTRO DE AGUA

 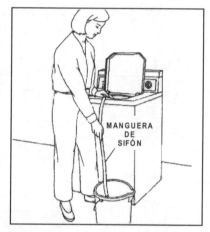

2.- SE VACÍAN LOS ELECTRODOMÉSTICOS, EXTRAYENDO EL AGUA QUE CONTENGAN

**3.- SE CORTA LA ALIMENTACIÓN ELÉCTRICA DE UN ELECTRODOMÉSTICO
Y SE SECA CUALQUIER FUGA O HUMEDAD EN EL MISMO**

EQUIVALENCIA DE DECIMALES DE FRACCIONES COMUNES

Fracción de pulgada		Decimales de pulgada	mm	Fracción de pulgada		Decimales de pulgada	mm
	1/64	0,015625	0,397		33/64	0,515625	13,097
1/32		0,031250	0,794	17/32		0,531250	13,494
	3/64	0,046875	1,191		35/64	0,546875	13,891
1/16		0,062500	1.588	9/16		0,562500	14,288
	5/64	0,078125	1,984		37/64	0,578125	14,684
3/32		0,093750	2,381	19/32		0,593750	15,081
	7/64	0,109375	2,778		39/64	0,609375	15,478
1/8		0,125000	3,175	5/8		0,625000	15,875
	9/64	0,140625	3,572		41/64	0,640625	16,272
5/32		0,156250	3,969	21/32		0,656250	16,669
	11/64	0,171875	4,366		43/64	0,671875	17,066
3/16		0,187500	4,763	11/16		0,687500	17,463
	13/64	0,203125	5,159		45/64	0,703125	17,859
7/32		0,218750	5,556	23/32		0,718750	18,256
	15/64	0,234375	5,953		47/64	0,734375	18,653
1/4		0,250000	6,350	3/4		0,750000	19,050
	17/64	0,265625	6,747		49/64	0,765625	19,447
9/32		0,281250	7,144	25/32		0,781250	19,844
	19/64	0,296875	7,541		51/64	0,796875	20,241
5/16		0,312500	7,938	13/16		0,812500	20,638
	21/64	0,328125	8,334		53/64	0,828125	21,034
11/32		0,343750	8,731	27/32		0,843750	21,431
	23/64	0,359375	9,128		55/64	0,859375	21,828
3/8		0,375000	9,525	7/8		0,875000	22,225
	25/64	0,390625	9,922		57/64	0,890625	22,622
13/32		0,406250	10,319	29/32		0,906250	23,019
	27/64	0,421875	10,716		59/64	0,921875	¹3,416
7/16		0,437500	11,113	15/16		0,937500	23,813
	29/64	0,453125	11,509		61/64	0,953125	24,209
15/32		0,468750	11,906	31/32		0,968750	24,606
	31/64	0,484375	12,303		63/64	0,984375	25,003
1/2		0,500000	12,700	1		1,000000	25,400

CONVERSIÓN DE TEMPERATURAS

°C	REFERENCIA	°F	°C	REFERENCIA	°F	°C	REFERENCIA	°F
-23.3	-10	14.0	10.6	51	123.8	54.4	130	266
-20.6	-5	23.0	11.1	52	125.6	60.0	140	284
-17.8	0	32.0	11.7	53	127.4	65.6	150	302
-17.2	1	33.8	12.2	54	129.2	71.1	160	320
-16.7	2	35.6	12.8	55	131	76.7	170	338
-16.1	3	37.4	13.3	56	132.8	82.2	180	356
-15.6	4	39.2	13.9	57	134.6	87.8	190	374
-15.0	5	41.0	14.4	58	136.4	93.3	200	392
-14.4	6	42.8	15.0	59	138.2	98.9	210	410
-13.9	7	44.6	15.6	60	140	104,4	220	428
-13.3	8	46.4	16.1	61	141.8	110.0	230	446
-12,8	9	48.2	16.7	62	143.6	115.6	240	464
-12.2	10	50.0	17.2	63	145.4	121.1	250	482
-11.7	11	51.8	17.8	64	147.2	126.7	260	500
-11.1	12	53.6	18.3	65	149	132.2	270	518
-10.6	13	55.4	18.9	66	150.8	137.8	280	536
-10.0	14	57.2	19.4	67	152.6	143.3	290	554
-9.4	15	59.0	20.0	68	154.4	148.9	300	572
-8.9	16	60.8	20.6	69	156.2	154.4	310	590
-8.3	17	62.6	21.1	70	158	160.00	320	608
-7.8	18	64.4	21.7	71	159.8	165.6	330	626
-7.2	19	66.2	22.2	72	161.6	171.1	340	644
-6.7	20	68.0	22.8	73	163.4	176.7	350	662
-6.1	21	69.8	23.3	74	165.2	182.2	360	680
-5.6	22	71.6	23.9	75	167	187.8	370	698
-5.0	23	73.4	24.4	76	168.8	193.3	380	716
-4.4	24	75.2	25.0	77	170.6	198.9	390	734
-3.9	25	77.0	25.6	78	172.4	204.4	400	752
-3.3	26	78.8	26.1	79	174.2	210.0	410	770
-2.8	27	80.6	26.7	80	176	215.6	420	788
-2.2	28	82.4	27.2	81	177.8	221.1	430	806
-1.7	29	84.2	27.8	82	179.6	226.7	440	824
-1.1	30	86.0	28.3	83	181.4	232.2	450	842
-0.6	31	87.8	28.9	84	183.2	237.8	460	860
0.0	32	89.6	29.4	85	185	243.3	470	878
0.6	33	91.4	30.0	86	186.8	248.9	480	896
1.1	34	93.2	30.6	87	188.6	254.4	490	914
1.7	35	95.0	31.1	88	190.4	260.0	500	932
2.2	36	96.8	31.7	89	192.2	287.8	550	1022
2.8	37	98.6	32.2	90	194	315.6	600	1112
3.3	38	100.4	32.8	91	195.8	343.3	650	1202
3.9	39	102.2	33.3	92	197.6	371.1	700	1292
4.4	40	104.0	33.9	93	199.4	398.9	750	1382
5.0	41	105.8	34.4	94	201.2	426.7	800	1472
5.6	42	107.6	35.0	95	203	545.4	850	1562
6.1	43	109.4	35.6	96	204.8	482.2	900	1652
6.7	44	111.2	36.1	97	206.6	510.0	950	1742
7.2	45	113.0	36.7	98	208.4	537.8	1000	1832
7.8	46	114.8	37.2	99	210.2	593.3	1100	2012
8.3	47	116.6	37.8	100	212.0	648.9	1200	2192
8.9	48	118.4	40.6	105	221.0	704.4	1300	2372
9,4	49	120.2	43.3	110	230.0	760.0	1400	2552

CONVERSIÓN DE UNIDADES DEL SI (métrico) A INGLÉS E INGLÉS AL SI

Hoja 1 de 7	MULTIPLICAR	POR	PARA OBTENER
A	acres	4 046.87	metros cuadrados
	acres	0 ,40468	hectáreas
	acres	43 560	pies cuadrados
	acres	6 272 640	pulgadas cuadradas
	acres	$1562,5 \times 10^{-6}$	millas cuadradas
	acres	4 840	yardas cuadradas
	amperes por cm cuadrado	6,452	amperes por pulgada cuadrada
	ampere - hora	3 600	coulombs
	ampere – hora	$3,731 \times 10^{-2}$	faradays
	ampere – vueltas por cm	1,257	gilberts por centímetro
	angstrom	10^{-10}	metros
	angstrom	$3,937 \times 10^{-9}$	pulgadas
	año-luz	$5,9 \times 10^{12}$	millas
	año-luz	$9,46091 \times 10^{12}$	kilómetros
	año	365,256	días
	año	8 766,1	horas
	atmósferas	0,980665	bar
	atmósferas	76	cm de mercurio (a 0°C)
	atmósferas	33,9279	pies de agua a 62°F
	atmósferas	14,7	libras por pulgada cuadrada
	atmósferas	1,0333	kilogramos por centímetro cuadrado
	atmósferas	10 333	kilogramos por centímetro cuadrado
	ampere - vuelta	10^{-1}	gilbert
	ampere – vuelta por cm	2,54	ampere – vuelta por pulgada
B	bar	10^5	pascales
	barriles (aceite)	4,2	galones (aceite)
	BTU (British Thermal Unites)	3,927	HP – hora
	BTU	1 055,056	joules
	BTU	0,252	kilogramos – calorías
	BTU	107,58	kilogramos – metro
	BTU	$1,928 \times 10^{-4}$	kilowatts – hora
	BTU	778,16	pies – libras
	BTU por minuto	12,96	pies – libras segundo
	BTU por minuto	0,0235	HP
	BTU por minuto	0,01757	kilowatts
	BTU por hora	1/1200	tons refrigeración

Hoja 1 de 7	MULTIPLICAR	POR	PARA OBTENER
	caballos caldera	33 472	BTU por hora
	caballos caldera	9,804	kilowatts
	caballos de potencia (HP)	0,745699	kilowatts
	caballos de potencia (HP)	1,0133	CV (caballos de vapor)
	caballos de vapor	0,9863	HP
	caballos de vapor	0,7353	kilowatts
	calorías	$3,968 \times 10^{-3}$	BTU
	calorías	426,8	kilogramos – metro
	calorías	3 087,77	pies – libras
	calorías	4,1868	joules
	calorías por minuto	0,0935	HP
	calorías por minuto	0,0697	kilowatts
	centímetros	0,3937	pulgadas
	centímetros	0,03281	pies
	centímetros	0,01094	yardas
C	centímetros cuadrados	0,155	pulgadas cuadradas
	centímetros cúbicos	0,06102	pulgadas cúbicas
	centímetros cúbicos	$3,531 \times 10^{-5}$	pies cúbicos
	centímetros cúbicos	$1,308 \times 10^{-6}$	yardas cúbicas
	centímetros cúbicos	10-3	litros
	centímetros de mercurio	136	kilogramos por metro cuadrado
	centímetros de mercurio	0,1934	libras por pulg. cuadrada
	centímetros de mercurio	0,4461	pies de agua
	centímetros de mercurio	27,85	libras por pie cuadrado
	circularmils	0,00051	milímetros cuadrados
	circular mils	$5,067 \times 10^{-6}$	centímetros cuadrados
	circunferencia	6,283	radiales
	coulombs	$1,036 \times 10^{-5}$	faradays
	coulombs	$2,998 \times 10^{9}$	stat coulombs
	coulombs por cm cuadrado	64,52	coulombs por pulgada cuadrada
	días	$8,64 \times 10^{4}$	segundos
	días	$1,44 \times 10^{3}$	minutos
D	dinas	10^{-5}	joules por metro (newton)
	dinas	$1,020 \times 10^{-6}$	kilogramos
	dinas por cm cuadrado	$6,85 \times 10^{-5}$	libras por pie
	dinas por cm cuadrado	$9,87 \times 10^{-7}$	atmósferas

Hoja 1 de 7	MULTIPLICAR	POR	PARA OBTENER
E	ergs	$9,486 \times 10^{-11}$	BTU
	ergs	$2,389 \times 10^{-8}$	gramos – calorías
	ergs	$1,020 \times 10^{-3}$	gramos – centímetros
	ergs	$3,725 \times 10^{-14}$	HP – hora
	ergs	10^{-7}	joules
	ergs	$2,389 \times 10^{-11}$	kilogramos – calorías
	ergs	$2,773 \times 10^{-14}$	kilowatts – hora
F	faraday	26,8	ampere – hora
	faraday	$9,649 \times 10^{4}$	coulomb
	fasthoms (brazas)	1,8288	metros
	fasthoms	6	pies
	foot candle (bujía – pie)	10,765	luxes
	furlongs	0,125	millas (U.S.A.)
	furlongs	660	pies
	furlongs	201,17	metros
G	galones	3,785412	litros
	galones	0,1337	pies cúbicos
	galones de agua	8,337	libras de agua
	galones de agua	3,7853	kilogramos de agua
	galones por minuto	0,063	litros por segundo
	galones por minuto	$2,228 \times 10^{-3}$	pies cúbicos por segundo
	gausses	10^{-8}	webers por centímetro cuadrado
	gausses	$6,452 \times 10^{-8}$	webers por pulgada cuadrada
	gausses	6,452	líneas por pulgada cuadrada
	gausses	10^{-4}	webers por metro cuadrado
	gausses	1	gilbert por centímetro
	celsius por centímetro	0,7958	ampere – vueltas
	celsius por centímetro	2,021	ampere – vueltas por pulgada
	celsius por centímetro	79,58	ampere – vueltas por metro
	grados	0,01745	radianes
	grados por segundo	0,1667	revoluciones por minuto
	gramos	0,03527	onzas
	gramos	0,03215	onzas (troy)
	gramos por cm cúbico	62,43	libras por pie cúbico
	gramos por cm cúbico	0,036	libras por pulgadas cúbicas
	grados celsius (°C)	$1,8\ °C + 32$	grado fahrenheit (°F)
	grados celsius (°C)	$°C + 273,16$	grado kelvin (°K)
	grados fahrenheit (°F)	$5/9\ (°F - 32)$	grados celsius (°C)
	gramo	$2,205 \times 10^{-3}$	libra

Hoja 1 de 7	MULTIPLICAR	POR	PARA OBTENER
H	hectárea	2,4711	acres
	hectárea	$3,861 \times 10^{-3}$	millas cuadradas
	hectárea	$1,076 \times 10^{-5}$	pies cuadrados
	hora	$4,167 \times 10^{-2}$	días
	hora	$5,952381 \times 10^{-3}$	semanas
	HP	76,04	kg – metro por segundo
	HP	0,7457	kilowatts
	HP	33 000	pies – libras por minuto
	HP	550	pies – libras por segundo
	HP – hora	2 544	BTU
	HP – hora	641,24	calorías
	HP – hora	1 980 000	libras – pie
	HP – hora	273 729.9	kilogramo – metro
	hertz	1	ciclo por segundo
J	joules	$2,778 \times 10^{-4}$	watts – hora
	joules	$9,486 \times 10^{-4}$	BTU
	joules	10^{7}	ergs
	joules	$2,389 \times 10^{-4}$	kilogramo – caloría
	joules	0,1020	kilogramo – metro
	joules	0,7376	pies – libras
	joules por cm	10^{7}	dinas
K	kilogramos	980 665	dinas
	kilogramos	9,807	joules por metro (newtons)
	kilogramos	2,2046	libras
	kilogramos	$1,102 \times 10^{-3}$	toneladas cortas
	kilogramos	$9,842 \times 10^{-4}$	toneladas largas
	kg – fuerza/cm^2	$98,0665 \times 10^{-3}$	newton por metro metro cuadrado
	kg – m	$9,296 \times 10^{-3}$	BTU
	kg – fuerza/cm^2	98 066.5	pascales
	kg – m	0,002342	calorías
	kilogramo – fuerza	9,806650	newton
	kilogramo – metro	7,233	pies – libras
	kilogramo – fuerza/cm^2	0,980665	bar
	kilogramo – metro	0,672	libras por pie
	kilogramo por m^2	0,2048	libras por pie cuadrado
	kilogramo por m^3	0,0624	libras por pie cúbico
	kg por cm^2	14.22	libras por pulgada cuadrada
	kg por cm^2	10	metros columna de agua
	kg por cm^2	32,81	pies columna de agua
	kg por cm^2	735,5	milímetros de mercurio

Hoja 1 de 7	MULTIPLICAR	POR	PARA OBTENER
K	kilómetros	0,6214	millas terrestres
	kilocaloría	3,970	BTU
	kilogramo	9,807	newton
	kilómetros	3,937	pulgadas
	kilómetros	0,5396	millas náuticas
	kilómetros	3 281	pies
	kilómetros cuadrados	247,1	acres
	kilómetros cuadrados	0,3861	millas cuadradas
	kilómetros por hora	27,78	centímetros por segundo
	kilómetros por hora	16,67	metros por minuto
	kilómetros por hora	0,6214	millas por hora
	kilowatts	14,33	calorías por minuto
	kilowatts	1,341	HP
	kilowatts	1,355	caballo de vapor
	kilowatts – hora	3 413	BTU
	kilowatts – hora	859.8	calorías
	kilowatts – hora	$3,60 \times 10^{13}$	ergs
	kilowatts – hora	$3,6 \times 10^{6}$	joules
	kilowatts – hora	856,14	kilogramo – calorías
	kilowatts – hora	$3,671 \times 10^{5}$	kilogramo – metro
	kilowatts – hora	$2,655 \times 10^{6}$	pies - libras
L	libras	7 000	granos
	libras	4,448222	newtons
	libras	453.59	gramos
	libras por pie	1,488	kilogramo – metro
	libras por pulgada	178.6	gramos – centímetros
	libras por pie cuadrado	4,882	kilogramos por metro cuadrado
	libras por pulg. cuadrada	0.066894757	newton por metro cuadrado
	libras por pulg. cuadrada	0,0703	kilogramo por centímetro cuadrado
	libras por pulg. cuadrada	0,068947	bar
	libras por pulg. cuadrada	0,703	metros columna de agua
	libras por pulg. cuadrada	0,0723	kg – fuerza por centímetro cuadrado
	libras por pulg. cuadrada	2,307	pies columna de agua
	libras por pulg. cuadrada	6 894,0757	pascal
	libras por pulg. cuadrada	51,7	milímetros de mercurio
	libras por pie cúbico	16.02	kilogramo por metro cúbico
	libras por pulg. cúbica	27,68	kilogramo por decímetro cúbico
	líneas por cm cuadrado	1	gausses
	líneas por pulg. cuadrada	0,1550	gausses
	líneas por pulg. cuadrada	$1,550 \times 10^{-9}$	webers por centímetro cuadrado
	líneas por pulg. cuadrada	10^{-8}	webers por pulgada cuadrada
	litros	0,2642	galones
	litros	0,03531	pies cúbicos

Hoja 1 de 7	MULTIPLICAR	POR	PARA OBTENER
L	litros	61,02	pulg. cúbicas
	Ln (x)	0,434300	$\log_{10}(X)$
	$\log_{10}(x)$	2 303	$\ln(X)$
	lumen	0,001496	Watts
	lumen por pie cuadrado	1	bujía – pie
	lumen por pie cuadrado	10,76	lumen por metros cuadrados
	lux	0,0929	bujía – pie
	lumen por metro cuadrado	1,00	lux
M	maxwells	0,001	kilolíneas
	maxwells	10^{-8}	webers
	megapascal	0,101972	kg – fuerza por metro cuadrado
	metros	3,281	pies
	metros	39,37	pulgadas
	metros	1,094	yardas
	metros cuadrados	1,196	yardas cudradas
	metros cuadrados	10,76392	pies cuadrados
	metros cuadrados	1 550	pulgadas cuadradas
	metros cúbicos	35,31	pies cúbicos
	metros cúbicos	1,30795	yarda cúbica
	metros cúbicos	61 023	pulgadas cúbicas
	metros cúbicos	10^3	litros
	metros por segundo	3,2803	pies por segundo
	millas náuticas	1,852	kilómetros
	millas náuticas	1,1516	millas terrestres
	millas marincs por hora	1,853	kilómetros por hora
	millas marincs por hora	1	nudos
	millas terrestres	1,60934	kilómetros por hora
	minutos (ángulos)	$1,667 \times 10^{-2}$	grados
	minutos (ángulos)	$2,909 \times 10^{-4}$	radianes
	minutos (tiempo)	$9,9206 \times 10^{-5}$	semanas
	minutos (tiempo)	$6,944 \times 10^{-4}$	días
	minutos (tiempo)	$1,667 \times 10^{-2}$	horas
	milímetros de agua	0,098	milibars
	milímetros de mercurio	1,333	milibars
	milímetros cucdrados	0,00155	pulgadas cuadradas
	milímetros cuadrados	1 973	mils circulars
N	newton	9.81	kilogramos
	newton	0.101972	kilogramo – fuerza
	newton	10^5	dinas
	newton	0,224809	libras
	nudos	1,852	kilómetros por hora
	nudos	1	millas náuticas por hora
	nudos	51,44	centímetros por segundo

Hoja 1 de 7	MULTIPLICAR	POR	PARA OBTENER
O	ohm (internacional)	1,0005	ohm (absoluto)
	ohm	10^6	megaohm
	ohm	10^{-6}	microohm
	onzas	28.35	gramos
	onzas (troy)	31,10	gramos
	ohm por mm² por m	$0,6 \times 10^3$	ohm por circular mils por pie
P	pascales	1	newton por metro cuadrado
	pies	30,48	centímetros
	pies cuadrados	929,03	centímetros cuadrados
	pies cúbicos	28.32	litros
	pies – libras	0,001286	BTU
	pies - libras	0,0003241	kilogramos – calorías
	pies – libras	$1,356 \times 10^7$	ergs
	pies – libras	1,355818	joules
	pies – libras por minuto	$3,030 \times 10^{-5}$	HP
	pies – libras por minuto	$3,24 \times 10\text{-}4$	Kg – calorías por minuto
	pies – libras por minuto	$2,260 \times 10^{-5}$	kilowatts
	pulgadas	2.54	centímetros
	pulgadas cuadradas	6,4516	centímetros cuadrados
	pulgada cúbica	16,39	centímetros cúbicos
	pulgadas de agua	2,488	milibar
	pulgadas de mercurio	345,3	kilogramo por metro cuadrado
	pulgadas de mercurio	33,77	milibar
	pulgada cuadrada	645	milímetro cuadrado
	pulgada cuadrada	1 273 240	mils circulars
R	radián	57,296	grados (ángulo)
	radián por segundo	0,1592	revoluciones por segundo
T	toneladas métricas	2 204,62	libras
	toneladas (largas)	2 240	libras
	toneladas (largas)	1 016,06	kilogramos
	toneladas (largas)	1,12	toneladas (cortas)
	toneladas (cortas)	2 000	libras
	toneladas (cortas)	907,18	kilogramos
	toneladas refrigeración	12 000	BTU por hora
	temperatura (°C) + 273,15	1	grados kelvin
	temperatura (°C) + 17,7778	1,8	grados fahrenheit
	temperatura (°F)- 32	0,5556	grados celsius
	tesla	10^4	gauss

Hoja 1 de 7	MULTIPLICAR	POR	PARA OBTENER
V	volt (absoluto)	0,003336	stat volts
	volt por pulgada	0.39370	volt por centímetro
W	watt por hora	3,4129	BTU por hora
	watt	10^7	ergs – segundo
	watt	$1,341 \times 10^{-3}$	HP
	watt	0,01433	kilogramos – calorías por minuto
	watt	0,7378	pies – libras por segundo
	watt – hora	367.2	kilogramos – metro
	watt – hora	3 600	joule
	watt (internacional)	1,000165	watt (absoluto)
	webers	10^8	maxwells
	webers por m^2	10^4	gausses
	webers por m^2	$6,452 \times 10^4$	líneas por pulgada cuadrada
	webers por m^2	$6,452 \times 10^{-4}$	webers por pulgada cuadrada
	webers por pulg.^{2}	$1,550 \times 10^7$	gausses
	webers por pulg.^{2}	10^8	líneas por pulgada cuadrada
	webers por pulg.^{2}	0,1550	webers por centímetro cuadrado
Y	yardas	91,44	centímetros
	yarda cuadrada	0,8361	metro cuadrado
	yarda	36	pulgadas
	yarda	3	pie
	yarda	$568,182 \times 10^{-6}$	milla
	yarda cúbica	0,764555	metros cúbicos

G L O S A R I O

Accesorio. Cualquier dispositivo que une tramos de tubo o conecta un tubo a una instalación.

Accesorio en Y. Accesorio usado en sistemas de drenaje para conectar tubos ramales y líneas de drenaje horizontales; también se utiliza para instalar tapones de limpieza.

Acoplamiento. Accesorio usado para conectar dos tubos.

Adaptador roscado. Accesorio que se utiliza para instalar tubos que transportarán agua fría.

Adaptador. Accesorio que conecta dos tubos de diferentes diámetros o materiales.

Aereador. La unidad desviadora y de filtrado que se localiza en el extremo de un grifo para controlar la salpicadura del agua.

Agua potable. Agua segura para beber.

Aguas jabonosas. Descarga de los muebles o instalaciones sanitarias que no contiene materia fecal.

Anillo de cera. Sello de cera que se usa en la base de un inodoro para evitar fugas.

Asiento de válvula. La parte de la válvula en la cual se asienta una arandela u otra pieza para detener el agua.

Golpe de ariete. Golpe en los tubos que conducen agua provocado por un cambio repentino en la presión después de que se cierra un grifo o válvula.

Grifo de desagüe. Dispositivo que permite el desagüe del depósito de un calentador de agua.

Intervalo de aire. Espacio requerido entre la fuente de agua potable (la boca de salida de un grifo) y el borde del fregadero o lavabo en el que se descarga.

Junta tórica. Anillo de caucho que se utiliza como empaque.

Junta. Cualquier conexión entre tubos, accesorios u otras partes de un sistema de plomería.

Lavabo. Instalación higiénica localizada en un baño o tocador.

Llave de flotador. Válvula de suministro de agua de un depósito de inodoro, la cual es controlada por un flotador.

Llave. Grifo o hidrante que extrae agua de una línea de abastecimiento.

Manguito para tubo. Abrazadera que se utiliza para sellar fugas en tubos.

Soporte de tubo. Cualquier clase de miembro de unión que se utiliza para soportar un tubo.

Supresor de contraflujo. Un dispositivo o medio que evita el contraflujo.

T (te). Accesorio para tuvo en forma de T con tres puntos de conexión.

Tamaño nominal. Dimensión designada de un tubo o accesorio; es ligeramente distinta del tamaño real.

Tapón de limpieza. Tapón desmontable en un sifón o tuvo de desagüe, el cual permite un acceso más fácil para eliminar obstrucciones.

Tapón mecánico. Tapón de desagüe controlado mediante una palanca. Existen dos clases: retráctil y de émbolo.

Tapón retráctil. Dispositivo utilizado para abrir y cerrar desagües.

Termopar. Dispositivo de seguridad que corta automáticamente el flujo del gas hacia el piloto cuando éste se apaga.

Tubo de desagüe principal. Tubo al cual se conectan todos los ramales, directa o indirectamente.

G L O S A R I O

Bola de flotador. Bola hueca en el extremo de una varilla en el depósito del inodoro, la cual flota a medida que el depósito se llena después de descargarlo para cerrar la válvula de admisión de agua.

Cámara neumática. Tubo vertical lleno de aire que evita el efecto de "golpe de ariete". Al absorber la presión cuando se corta el agua en un grifo o válvula.

Chimenea de ventilación. Tubo de ventilación vertical.

Chimenea. Cualquier tubo vertical que forma parte del sistema de desagüe-desechos-ventilación.

Codo. Accesorio usado para hacer cambiar la dirección de las tuberías.

Conector sin casquillo. Accesorio para conectar tubos por medio de manguitos de neopreno y abrazaderas de acero inoxidable.

Contraflujo. Flujo inverso de agua u otros líquidos en los tubos de suministro, provocado por una presión negativa de los mismos.

Mástique de plomero. Material que se emplea para sellar hendeduras alrededor de instalaciones sanitarias.

Pasta de grafito para juntas de tubos. Material que se aplica a una conexión roscada para evitar fugas.

PVC (Cloruro de polivinilo). Plástico que se utiliza para fabricar tubo de agua fría.

Ramal. Cualquier parte de una red de tubos aparte de un tubo o caño de subida tubo principal o chimenea de ventilación.

Red de drenaje. Todos los tubos que conducen aguas negras de una casa al alcantarillado municipal o sistema séptico privado.

Reductor. Accesorio usado para unir dos tubos de diferentes diámetros.

Rosca hembra. El extremo de un tubo o accesorio con roscas internas.

Tubo de nivel constante. Tubo del depósito de inodoro hacia el interior del cual fluye el agua cuando el brazo del flotador no activa la válvula de cierre al llenarse el depósito.

Tubo de subida. Tubo de suministro de agua que se extiende verticalmente.

Tubo principal de drenaje. Tubo vertical que conduce los desechos a la red de alcantarillado. También se da ese nombre al tubo vertical que recibe tanto desechos de origen humano como no humano, provenientes de un grupo de aparatos e instalaciones incluyendo el inodoro o de todos los muebles sanitarios en una instalación dada.

Tubo principal de ventilación (o chimenea). Tubo de ventilación al cual se pueden conectar los tubos secundarios de ventilación.

Tubo secundario de ventilación. Tubo que va de una chimenea de ventilación a un ramal de desagüe.

Válvula de admisión. Válvula en un depósito de inodoro que controla el flujo del agua hacia el interior. Válvula de chapaleta. Válvula que controla la salida de agua en el depósito en un inodoro.

Válvula de cierre. Dispositivo instalado en una línea de suministro, el cual permite interrumpir el flujo del agua hacia una instalación o aparato.

G L O S A R I O

Cuerno de inodoro. El borde del sifón de inodoro mediante el cual éste se une al piso.	**Sellador.** Compuesto impermeable que se utiliza para sellar conexiones de plomería..	**Válvula de desahogo.** Dispositivo de seguridad que deja salir el agua automáticamente al ser activada debido a un exceso en la presión y temperatura. Se emplea en calentadores de agua.
Desagüe. Cualquier tubo que transporta aguas residuales a través de una red de drenaje hacia el alcantarillado municipal o sistema séptico privado.	**Sifón de inodoro.** Tubo de desagüe curvo que se localiza bajo la base del inodoro.	**Válvula de descarga.** Dispositivo en el fondo del depósito de inodoro a través del cual sale la descarga de agua.
Diafragma. Accesorio que se haya en algunos grifos de compresión. Se utiliza en vez de una arandela de vástago.	**Sifón.** Tuvo curvo lleno de agua que evita que los gases del alcantarillado entren en la casa a través de la red de drenaje.	**Válvula desviadora.** Dispositivo que cambia la dirección del flujo del agua de un grifo o instalación a otro.
Empaque. Un dispositivo para sellar juntas contra fugas.	**Sistema de desagüe-desechos sólidos-ventilación.** Conjunto de tuberías y accesorios que se utilizan para dar salida a las aguas negras y desechos sólidos.	**Varilla elevadora.** Dispositivo que abre y cierra un tapón retráctil.
Escudete. Placa decorativa que tapa el agujero en el muro en el cual encaja el vástago o cartucho.	**Soldadura por exudación.** Proceso para unir tubo de cobre.	
Fundente. Material que se aplica a los tubos y accesorios de cobre para limpiar la superficie y facilitar la adhesión.	**Soporte colgante.** Dispositivo utilizado para sostener un tubo suspendido.	

3

Cálculo de los Sistemas de Suministro de Agua y del Drenaje y Ventilación

3.1 INTRODUCCIÓN

Cuando se calcula una instalación hidráulica para un edificio o casa-habitación por primera vez, o bien, se hacen trabajos de reparación de plomería, es útil tener una idea de la forma en como está constituido una instalación hidráulica, de drenaje y ventilación.

En un sistema típico de plomería, existen tres sistemas que actúan juntos: El sistema de suministro, el sistema de drenaje o retiro de desperdicios y el sistema de ventilación.

EL SISTEMA DE SUMINISTRO

Lleva el agua desde la toma municipal o de alguna otra fuente hasta el edificio o casa y hasta los accesorios que la requieren (lavabos, tinas, W.C., etcétera) y a los aparatos y equipos que la requieren refrigeradores, máquinas lavaplatos y máquinas de lavado de ropa.

EL SISTEMA DE DRENAJE

Transporta las aguas usadas y desperdicios fuera de la casa hacia el alcantarillado o cloaca y eventualmente a una fosa séptica.

EL SISTEMA DE VENTILACIÓN

Transporta al exterior los gases de las aguas usadas y desperdicios, manteniendo la presión apropiada en las tuberías y previniendo que los gases tóxicos no entren a la casa.

3.2 EL SISTEMA DE SUMINISTRO.

El agua entra a las casas a través de una tubería principal de suministro conectada a la toma municipal, en la mayoría de las casas se usa un medidor de agua instalado por la empresa suministradora o municipio y también una válvula de corte (localizada cercana al punto de entrada de la tubería de alimentación a la casa), que permite poner o quitar el agua a la casa.

Una vez dentro de la casa, el sistema de suministro de agua se divide en dos ramales, *uno de agua fría* y *otro de agua caliente*, si la instalación va a estar equipada con equipo ablandador de agua, éste puede estar localizado en la alimentación principal, antes de que se divida o en el ramal de alimentación, antes del calentador de agua.

Para la mayoría de las distancias, los ramales de agua fría y caliente van en paralelo y en forma horizontal hasta que lleguen a la cercanía de los accesorios y aparatos que usan agua.

Los ramales verticales también se conocen como elevadores, conectan los accesorios o aparatos al sistema de agua, los elevadores por lo general se cancelan dentro de los muros, las tuberías horizontales pueden ir por piso, o bien, estar soportadas de techos por soportes.

El sistema de suministro puede ser para una casa-habitación unifamiliar, o bien, para edificios multifamiliares o de oficinas, y en cada caso se tienen variantes en el método de cálculo; pero en general, los sistemas de abastecimiento de agua fría pueden ser de cualquiera de los siguientes tipos:

3.2.1 SISTEMA DE ABASTECIMIENTO DIRECTO

En un sistema de abastecimiento directo, la alimentación de agua fría a los accesorios, aparatos o muebles sanitarios de las casas o edificaciones, se hace en forma directa de la red de agua municipal, sin que se tenga de por medio tanques elevados o tinacos de almacenamiento.

Para que se pueda emplear un sistema de alimentación directa, se requiere que los accesorios, aparatos o muebles sanitarios se encuentran en promedio o poca altura y que la red municipal tenga la presión suficiente (del orden de 0.2 Kg/m²) para que el agua llegue a los accesorios o muebles sanitarios instalados en las posiciones más elevadas para un buen servicio, considerando que en la tubería y accesorios del sistema de alimentación se tienen pérdidas por fricción, por obstrucción, cambios de dirección, reducción de diámetros, etc.

En la siguiente figura, se muestra la tubería del sistema de abastecimiento de agua fría y de agua caliente para una casa unifamiliar construida en un nivel, que tiene calentador de agua, lavadora y salidas de agua para patio, fregadero y jardín, el baño tiene W.C. y lavabo, regadera y tina; en la cocina, se tiene fregadero y en el patio lavadero (fregadero).

El servicio de alimentación se hace por medio de tubería de ¾ pulg. de diámetro, en donde se encuentra instalado el medidor de agua con sus válvulas en ambos lados, a partir de este punto de alimentación, se indica la trayectoria del sistema de tuberías de agua fría y caliente, así como los diámetros que se pueden usar en la instalación.

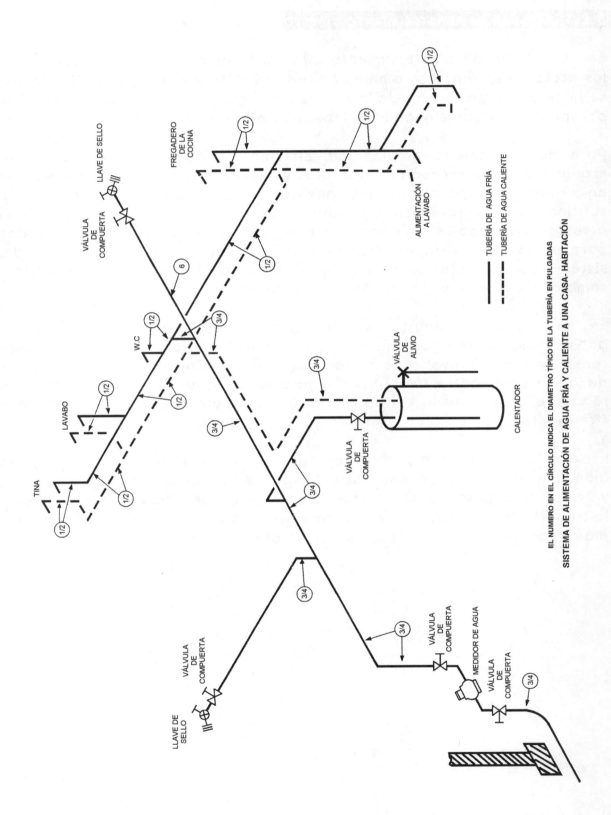

EL NUMERO EN EL CÍRCULO INDICA EL DIAMETRO TÍPICO DE LA TUBERÍA EN PULGADAS

SISTEMA DE ALIMENTACIÓN DE AGUA FRÍA Y CALIENTE A UNA CASA- HABITACIÓN

CÁLCULO DE LOS SISTEMAS DE SUMINISTRO DE AGUA, DRENAJE Y VENTILACIÓN

3.2.2 SISTEMA DE ABASTECIMIENTO POR GRAVEDAD

Cuando se presenta el problema de que la presión del agua en la red de alimentación municipal no es suficiente para llegar a los accesorios o muebles sanitarios más elevados, ya sea en una casa de uno o más niveles, o bien, la continuidad del suministro no es la adecuada por cortes programados en el suministro, la distribución del agua fría se hace a partir de tinacos o tanques elevados que se localizan en las azoteas de las casas o edificios, o bien, cuando se trata de grupos de población, por medio de tanques de almacenamiento construidos en terrenos elevados.

En las casas-habitación, cuando la presión del agua es suficiente con una continuidad de abastecimiento de al menos 10 horas por día, el agua almacenada en los tinacos se distribuye a los sistemas de agua fría y caliente, en estos casos la distribución del agua se hace por gravedad.

CARACTERÍSTICAS DE LOS TINACOS

Los tinacos instalados en las azoteas de las casas o edificios son de distintas formas y tienen diferentes capacidades, la capacidad se expresa en litros y se determina a partir de la dotación de agua asignada al área de su utilización y al número de personas que harán uso del agua.

PARTES PRINCIPALES PARA UNA INSTALACIÓN DE UN TINACO CON TUBERÍA DE COBRE EN CASA-HABITACIÓN

Algunas capacidades comerciales por tipo son las siguientes:

Tinacos de montaje vertical con patas: 300, 600, 1100 litros.

Tinacos verticales sin patas: 200, 400, 600, 1100 litros.

Tinacos horizontales: 400, 700, 1100 y 1600 litros.

Tinacos esféricos: 400, 600 y 1100 litros.

Tinacos verticales cuadrados: 400, 600 y 1100 litros.

Tinacos trapezoidales: 600 y 1100 litros.

CÁLCULO DE LOS SISTEMAS DE SUMINISTRO DE AGUA, DRENAJE Y VENTILACIÓN

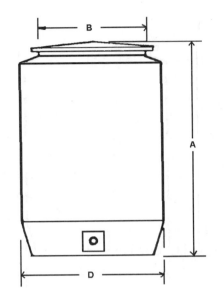

TINACO VERTICAL SIN PATAS

A	D	B	CAPACIDAD LITROS	PESO KGS
982	605	480	240	33
1092	850	480	535	60
1022	1000	480	605	74
1627	1065	480	1220	128

Dimensiones en mm.

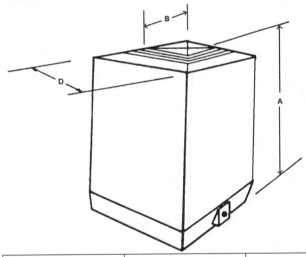

TINACO VERTICAL CUADRADO

A	D	B	CAPACIDAD LITROS	PESO KGS
1155	680	480	418	78
1305	800	450	646	116
1395	950	450	1100	190

Dimensiones en mm.

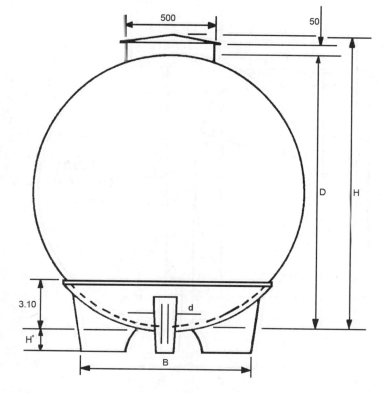

TINACOS ESFÉRICOS

CAPACIDAD LITROS	PESO KGS	ESPESOR mm	DIMENSIONES (mm)				
			D	H	H'	d	B
1600	140	8	1480	1580	150	100	970
2500	250	12	1710	1810	175	115	1060
3000	300	14	1800	1940	200	130	1150

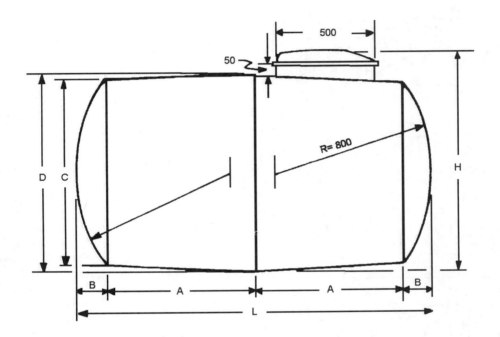

TINACOS
HORIZONTALES

CAPACIDAD LITROS	PESO KGS	A	B	C	D	L	H
700	80	700	108	730	836	1016	936
1000	100	750	158	916	1016	1816	1116
1600							

Dimensiones en mm, peso en kg.

TABLA 1

DOTACIÓN DE AGUA EN UN EDIFICIO		
Habitación en zonas rurales	85	litros/hab/día
Habitación tipo popular	150	litros/hab/día
Habitación interés social	200	litros/hab/día
Departamentos de lujo	250	litros/hab/día
Residencias con alberca	500	litros/hab/día
Edificios de oficinas	70	litros/hab/día
Hoteles	500	litros/hab/día
Cines	2	litros/espect/función
Fábricas	60	litros/obrero/día
Baños públicos	500	litros/bañista/día
Escuelas	100	litros/alumno/día
Clubes	500	litros/bañista/día
Restaurantes	15-30	litros/comensal
Lavanderías	40	litros/kg. ropa seca
Hospitales	500	litros/cama/día
Riego de jardines	5	litros/m² césped
Riego de patios	2	litros/m² patio

* Dotación es la cantidad de agua que en promedio consume por día una persona.

Se calcula de acuerdo con el valor de la dotación, según sea el uso que se dé al agua (Departamento, habitación de interés social, etcétera) y al número de personas de acuerdo al número de recámaras que tiene la habitación, que para el caso de una casa habitación, se calcula de acuerdo al criterio de la tabla siguiente:

TABLA 2
CÁLCULO DEL NÚMERO DE PERSONAS
PARA EVALUAR CAPACIDAD DE TINACOS

NÚM. DE RECÁMARAS	NÚM. DE RECÁMARAS X 2	NÚM. DE PERSONAS = NÚM. RECÁMARAS X 2 + 1
1	1 X 2	1 X 2 + 1 = 3
2	2 X 2	2 X 2 + 1 = 5
3	3 X 2	3 X 2 + 1 = 7

Cuando se tienen más de tres recámaras se suman 2 personas por recámara adicional.

Ejemplo

Calcular la capacidad que debe tener el tinaco de una casa-habitación que tiene 3 recámaras.

Solución

De acuerdo con la Tabla 1, se puede asignar una dotación de 150 litros/hab/día (habitación tipo popular).

El número de personas de acuerdo con la Tabla 2, se calcula como:

Personas = 3 recámaras x 2 + 1 = 7

Por lo tanto, la capacidad del tinaco debe ser de:

Litros tinaco = 7 x 150 = 1050, el valor comercial es 1100 litros.

3.2.3 SISTEMA DE ABASTECIMIENTO COMBINADO

Este sistema requiere de una combinación de presión y gravedad, por lo que es necesario el uso de:

Cisternas. Ante el problema real y potencial de la disminución en las cantidades de agua disponibles para uso humano, la reducción en la presión del agua y en el tiempo que debe estar disponible durante el día, hace que el uso de tinacos pueda resultar insuficiente, en estos casos es recomendable contar con un sistema de almacenamiento de agua relativamente pequeño que se denomina ***cisterna*** y que se construye normalmente de concreto, debajo del nivel del suelo con una entrada o agujero de hombre que debe quedar sobre la superficie del suelo para evitar que se contamine, para esto, el acabado interior de la cisterna debe ser impermeable y se debe construir a ciertas distancias con respecto a las bajadas de agua negra y a los linderos más próximos y albañales. Como referencia se indican las siguientes distancias mínimas:

TABLA 3
DISTANCIAS MÍNIMAS RECOMENDABLES PARA INSTALACIÓN DE CISTERNAS

Al lindero más próximo	1.00 m
A la rejilla, albañal o registros	3.00 m
A las bajadas de aguas negras	3.00 m

Para calcular la capacidad de la cisterna se aplica un criterio similar al usado para determinar la capacidad de los tinacos, sólo que para calcular el volumen total se supone que puede haber desabasto de agua y, entonces, se considera una cantidad como reserva, cuyo valor es igual a la dotación de agua por persona.

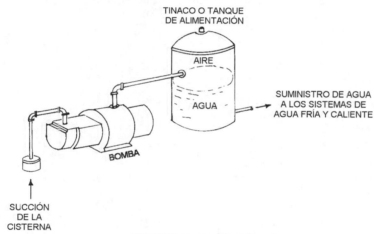

TINACO O TANQUE
DE ALIMENTACIÓN

AIRE

AGUA

SUMINISTRO DE AGUA
A LOS SISTEMAS DE
AGUA FRÍA Y CALIENTE

BOMBA

SUCCIÓN
DE LA
CISTERNA

**SISTEMA DE SUMINISTRO DE AGUA
A PARTIR DE UNA CISTERNA**

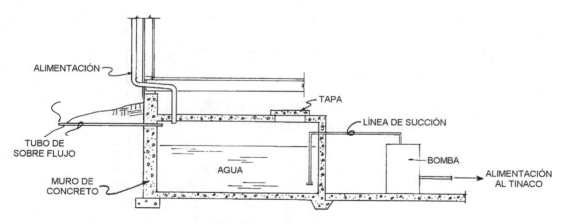

ALIMENTACIÓN

TAPA

LÍNEA DE SUCCIÓN

TUBO DE
SOBRE FLUJO

BOMBA

ALIMENTACIÓN
AL TINACO

AGUA

MURO DE
CONCRETO

CONSTRUCCIÓN DE UNA CISTERNA

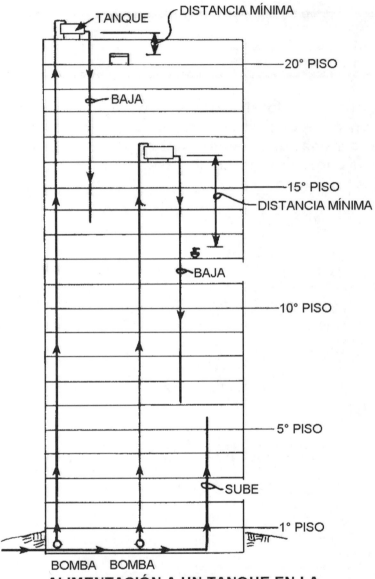

**ALIMENTACIÓN A UN TANQUE EN LA
AZOTEA DE UN EDIFICIO**

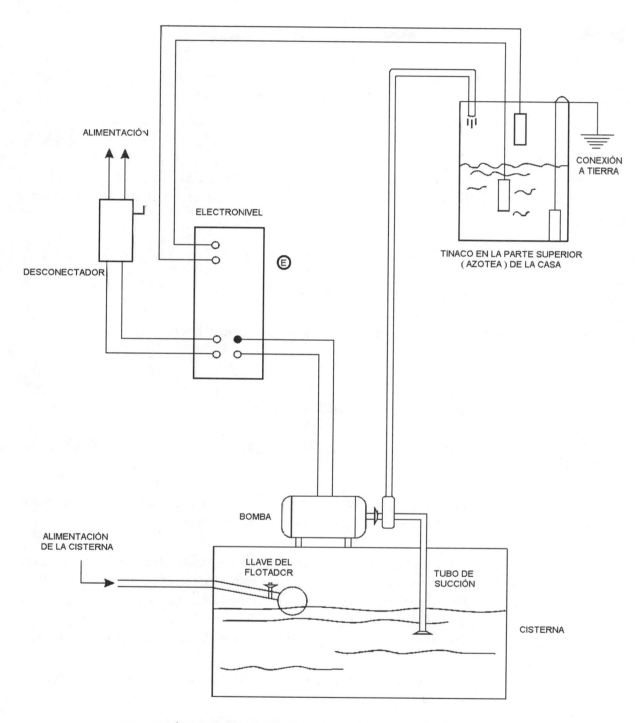

ALIMENTACIÓN

CONEXIÓN
A TIERRA

ELECTRONIVEL

DESCONECTADOR

TINACO EN LA PARTE SUPERIOR
(AZOTEA) DE LA CASA

BOMBA

ALIMENTACIÓN
DE LA CISTERNA

LLAVE DEL
FLOTADOR

TUBO DE
SUCCIÓN

CISTERNA

INSTALACIÓN DE CISTERNA Y TINACO CON SISTEMA DE CONTROL POR ELECTRONIVEL

Ejemplo

Calcular la capacidad que debe tener la cisterna de una casa habitación que tiene 3 recámaras.

Solución

Considerando una dotación para vivienda de interés social, de la Tabla 1 se toma una dotación de 200 litros/hab/día. El número total de personas se calcula como:

Núm. total personas = Núm. recámaras x 2 + 1 = 3 x 2 + 1 = 7

De manera que el volumen total requerido es:

Volumen requerido para la cisterna = Dotación total + reserva

Dotación total = 7 x 200 = 1400 litros

Reserva = Dotación total = 1400 litros

Volumen requerido para la cisterna = 1400 + 1400 = 2800 litros = **2.8 m³**

Para dar las dimensiones que debe tener la cisterna con este volumen calculado, se deben considerar los siguientes factores:

1. Se consideran las medidas interiores y el espesor de los muros, que generalmente son de concreto armado con aproximadamente 0.20 m de espesor. Por facilidad de construcción, es conveniente que no tengan una profundidad mayor de 2.00 m y la altura del agua no debe ocupar un valor mayor de ¾ partes de la altura total interior.

2. Las dimensiones del área del terreno disponible, considerando las recomendaciones de la tabla 3.

Ejemplo

Calcular la capacidad que deben tener los tinacos y la cisterna para el suministro de agua fría a un edificio de departamentos de lujo que tiene 6 departamentos de 3 recámaras cada uno.

Solución

Cálculo de los tinacos:

Tratándose de departamentos de lujo se considera, de acuerdo con la Tabla 1, una dotación de 250 litros/hab/día.

El número de personas a considerar por departamento de tres recámaras es:

Núm. personas = Núm. recámaras x 2 + 1 = 3 x 2 + 1 = 7

Para los 6 departamentos el número total de personas es:

Núm. personas = 6 departamentos x 7 personas por departamento

Núm. personas = 6 x 7 = 42

Para la dotación de 250 litros/hab/día, la capacidad total para los tinacos es de:

42 x 250 = 10500 litros

Si se usan tinacos horizontales de 1600 litros, se pueden instalar:

$$\frac{10500}{1600} = 7 \text{ tinacos}$$

Para calcular la capacidad de la cisterna se procede como sigue:

Volumen requerido para cisterna = Dotación total + reserva

Considerando una reserva de 150 litros/persona la reserva total es:

150 x 42 = 6300 litros

Volumen requerido para la cisterna = 10, 500 litros + 6300 litros

*= 16 800 litros = **16.8 m³***

CÁLCULO DE LA POTENCIA PARA EL MOTOR DE LA BOMBA DEL SISTEMA CISTERNA-TINACO

Las bombas usadas para elevar o bombear el agua de las cisternas a los tinacos en la azotea de una casa o un edificio, son de las *denominadas* ***"bombas centrífugas"***, su función es subir el agua a la altura total (H) que se calcula en la forma siguiente:

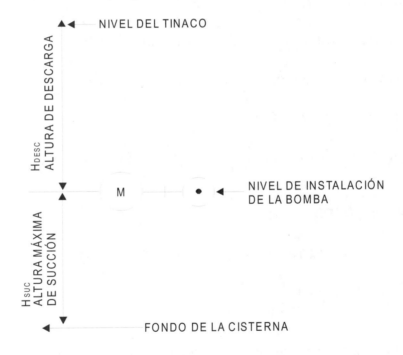

La altura total (H) también se conoce como altura manométrica o carga total, su valor es:

$$H = H_{suc} + H_{desc}$$

Donde: H_{suc} es la altura de succión y su valor se obtiene como:

H_{suc} = Altura estática de succión + pérdidas por fricción en la tubería dentro del tanque o cisterna + carga de velocidad

La carga de velocidad es: $\dfrac{Vg}{2g}$ g = aceleración de la gravedad

H_{desc} = Altura de descarga o altura total del nivel de la bomba al tinaco

H_{desc} = Altura estática de descarga + pérdidas por fricción en la descarga + carga de velocidad en la descarga

La potencia efectiva del motor de la bomba se calcula de acuerdo con la fórmula:

$$HP = \frac{G \times H}{76 \times m}$$

Donde:

HP = Caballos de fuerza del motor.

G = Gasto en litros/seg.

H = Altura manométrica o carga total en metros.

N = Eficiencia de la bomba x eficiencia de la transmisión = 70%.

Una parte importante de la teoría desarrollada para el cálculo de bombas y tuberías en hidráulica, está en el sistema inglés, la potencia requerida por el motor de accionamiento de una bomba se calcula como:

$$HP = \frac{GPM \times altura\ total\ (pies)}{3960 \times eficiencia\ de\ la\ bomba}$$

GPM = Gasto en galones por minuto

La altura total se puede calcular como:

$$\text{Altura total (pies)} = H = \frac{V^2 \, L \, 13.9}{2500 \, . \, D}$$

Donde:

V = Velocidad del agua pies/seg.

L = Longitud de la tubería (pies).

D = Diámetro interior de la tubería (pulg).

La potencia necesaria para elevar el agua a una altura dada es:

$$HP = \frac{8.3 \, GPM \, H}{33000}$$

GPM = Galones por minuto.

H = Altura o carga hidráulica, pies.

Para fines de conversión de unidades:

Litros/seg = Galones por minuto x 0.06308

Metros = pies x 0.3048

Entonces, la expresión anterior se puede escribir como: $HP = \dfrac{0.16 \, G \, H}{33000}$

Donde:

G = Gasto en litros/seg.

H = Altura o carga hidráulica en metros .

Si el gasto se expresa en litros/minuto: $HP = \dfrac{9.575 \, G \, H}{33000}$

Ejemplo

Calcular la potencia que debe tener el motor de una bomba para llevar agua a un tinaco localizado a 12 m de altura, con un gasto de 72 litros/minuto.

Solución

La expresión para el cálculo de la potencia del motor cuando el gasto se expresa en litros/minuto es:

$$HP = \frac{9.575 \, GH}{33000}$$

Sustituyendo valores:

$$HP = \frac{9.575 \times 72 \times 12}{33000} = 0.2507$$

Es decir, se requiere un motor de ¼ HP; para esta potencia debe ser monofásico a 120 V.

La capacidad de una tubería de cualquier diámetro se puede calcular de acuerdo con la fórmula siguiente:

$$C = \frac{D^2 \times 0.7854 \, L}{231} \, galones$$

Donde:

D = Diámetro de la tubería en pulg.

L = Longitud de la tubería en pulg.

$$C = \frac{2.9727 \, D^2 L}{231} \, Litros$$

Algunas unidades de medida usadas frecuentemente para describir las propiedades relacionas con el agua son las siguientes:

1 litro (ℓ) = 100 cm^3

1 libra (lb) = 454 gramos (gm)

1 kilogramo (Kg) = 1000 gramos (gm) = 1000,000 miligramos

1 lb = 7000 gramos (gr)

1 gramo = 0.0648 gramos (gm)

1 galón (gal) de agua pesa 8.33 lb

1 cm^3 de agua pesa 1 gramo (gm)

1 pie cúbico de agua (ft^3) = 28.3 litros (ℓ)

1 pie^3 de agua = 7.5 gal.

1 galón/minuto (GPM) = 0.063 litros/seg (l/s)

1 litro/seg (l/s) = 15.87 GPM

1 pie por minuto = 5.08 milímetros/seg.

1 pie/seg = 0.305 m/seg.

Pie cúbico/min = 0.472 (litros/seg)

1 litro/seg = 2.12 pie^3/minuto

1 libra/pulg^2 = 6.9 kilopascal

La velocidad del agua en tuberías se calcula de acuerdo con la fórmula siguiente:

$$V = \sqrt{\frac{2500\,HD}{13.9\,L}}\,\text{pies}/\text{seg}$$

Donde:

H = Carga de agua arriba del centro de la tubería, pies

D = Diámetro interior de la tubería pulg.

L = Longitud de la tubería en pies

De la ecuación anterior, se puede obtener la expresión que relaciona la carga (H) que produce una velocidad dada:

$$H = \frac{13.9\,V^2\,L}{2500\,.\,D}\ \text{pies}$$

V = Velocidad en pies/seg

L = Longitud de la tubería en pies

D = Diámetro de la tubería en metros

También:

$$H = \frac{4.236\,V^2\,L}{2500\,D}\ \text{metros}$$

Ejemplo

Calcular la carga de agua en una tubería de ½ pulg. de diámetro por la que circula agua a una velocidad de 3 metros/seg. y tiene una longitud de 10 m.

Solución

La carga de agua se obtiene como:

$$H = \frac{4.236\,v^2\,L}{2500\,D}$$

Donde:

V = 10 metros/seg = 3 x 3.28 = 9.84 pies/seg.

L = 10 m = 10 x 3.28 = 32.8 pies
D = ½ = 0.5 pulg.

$$H = \frac{4.236\,(9.84)^2 \times 32.8}{2500 \times 0.5} = 10.76\ \text{m}$$

La capacidad de esta tubería de ½ pulg es:

$$C = \frac{2.9727\, D^2\, L}{231}\,\text{litros}$$

$$C = \frac{2.9727 \times (0.5)^2 \times 32.8}{231} = 0.105\,\text{litros}$$

El gasto medio por día se calcula como:

$$\text{Gasto medio} = \frac{\text{volumen mín imo / día}}{86\,400\,*}$$

*Número de segundos en un día

Por ejemplo, para una casa habitación con tres recámaras, considerando una dotación de 150 litros/persona/día.

El número de personas es:

3 recámaras x 2 + 1 = 7

El volumen mínimo requerido por día es:

Volumen mínimo/día = 7 x 150 = 1050 litros

El gasto medio es entonces: $\text{Gasto medio} = \dfrac{1050}{86\,400} = 0.1215\,\text{litros / seg.}$

Que equivale a un gasto de: G = 0.1215 x 60 = 7.29 litros/minuto

3.2.4 SISTEMA DE ABASTECIMIENTO POR PRESIÓN

De los sistemas de abastecimiento de agua, este resulta ser el más complejo, depende principalmente de los siguientes factores:

➜ Tipo de servicio.

➔ Tipo de edificación.

➔ Volumen de agua que se requiere.

➔ Simultaneidad de los servicios.

➔ Número de muebles o accesorios para alimentar.

➔ Número o cantidad de niveles.

Este sistema de suministro es recomendable en edificaciones donde se instalan muebles de fluxómetro, como es el caso de edificios, oficinas, comercios, restaurantes, hoteles, hospitales, etcétera, en los que eventualmente es necesario contar con agua presurizada. Este problema se puede resolver por medio de:

1. Equipos hidroneumáticos

2. Equipos de bombeo programado

De estas soluciones, la más común es el uso del equipo hidroneumático.

Estos equipos hidroneumáticos se construyen en varias capacidades, desde pequeños de ¼ a 1 HP, con velocidades de 2900 a 3450 RPM a 120 volts, 60 Hz, con bomba de tipo impelente acoplada directamente al motor.

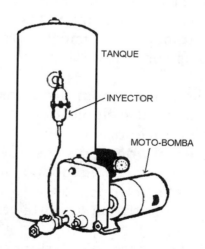

TANQUE

INYECTOR

MOTO-BOMBA

TANQUE HIDRONEUMÁTICO

Para determinar la cantidad de agua en el tanque de presión, se aplica la fórmula:

$$W = \frac{C(100 - S)}{C + 1}$$

Donde:

$$C = \text{constante} = \frac{\Delta P}{P_2}$$

Siendo:

ΔP la diferencia entre las presiones P_1 y P_2

$P_2 =$ La presión mínima absoluta.

$S =$ Sello de agua permanente, expresado como %.

$W =$ Abatimiento del agua entre las presiones diferenciales, expresado como % del volumen del tanque.

DIMENSIONANDO LOS TUBOS DE SUMINISTRO DE AGUA

El dimensionado de los sistemas de suministro de agua a una casa o en un departamento, se hace aplicando los factores de diseño y los requerimientos de los tamaños mínimos, para simplificar los dibujos de tuberías se usan símbolos convencionales.

En la siguiente figura, se muestran los sistemas de suministro de agua fría y agua caliente para una casa-habitación. Se supone que en la parte inferior (sótano), está localizada una salida de lavado y otra salida para una lavadora de ropa; en el primer piso, se tiene una tarja en la cocina y un baño que contiene un WC, un lavabo y una tina; también se tienen localizadas dos válvulas de entrada sobre la tubería de agua, una en la parte frontal de la casa y la otra en la parte trasera.

El servicio de alimentación está dimensionado con un tubo de 19 mm (¾pulg.) y se le proporciona también una válvula de compuerta de ¾ pulg. (19 mm), el medidor de agua también es de ¾ pulg. (19 mm) y se proporciona otra válvula de compuerta de ¾ pulg. a la salida del medidor.

De la segunda válvula de compuerta, el tubo de suministro como de ¾ pulg., continua a una conexión T, también de ¾ pulg. Para proporcionar agua fría a la válvula de entrada de usos generales en la parte frontal de la casa, se instala otra válvula de compuerta de ¾ pulg., antes de que pase a través de la pared de la casa. De la T de la llave de servicio, continua el tubo principal de agua fría como de ¾ pulg. a otra conexión T para el suministro del agua fría al calentador de agua. Antes de la entrada al calentador, se tiene una válvula de compuerta de ¾ pulg.

Después de la conexión T para el suministro de agua fría al calentador de agua, el tubo principal de agua fría como de ¾ pulg. continua a otra conexión T de ¾ pulg., para proporcionar alimentación a los accesorios del baño en el primer piso, así como a la tarja de la cocina y a la lavadora de ropa. De esta conexión T, continua el tubo de agua fría de ¾ pulg. a una válvula de compuerta y a la llave de servicio en la parte trasera de la casa.

La conexión T de ¾ pulg. provista para el suministro de agua fría al primer piso y los accesorios de la planta baja, se reduce a un diámetro de ½ pulg. para alimentar la tarja de la cocina (con agua fría).

La tubería de agua caliente comienza con un tamaño de ¾ pulg. a la salida del calentador de agua, este tubo de agua caliente continua como de ¾ de pulg. a través de la parte trasera de la casa para proporcionar agua caliente a los accesorios del primer piso y de la planta baja. Este tubo de ¾ de pulg. se reduce a ½ pulg. de diámetro sobre el lado izquierdo para proporcionar agua caliente al lavabo y a la tina, y se reduce también a ½ pulg. hacia el lado derecho para proporcionar agua caliente a la tarja de la cocina y a la lavadora en el sótano.

Las trayectorias para los tubos y sus conexiones, se muestran en la siguiente figura, en donde se indica en un círculo con número, el diámetro de los tubos en pulgadas.

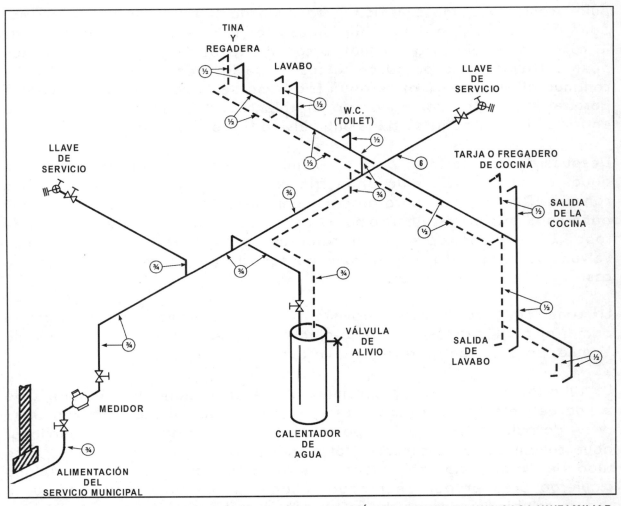

DISTRIBUCIÓN Y DIMENSIONES DE LOS TUBOS DE AGUA FRÍA Y CALIENTE EN UNA CASA UNIFAMILIAR

Ejemplo

La diferencial entre las presiones en un tanque hidroneumático es de 20 libras/pulg^2 con un sello permanente S = 3%, calcular el abatimiento del agua entre las presiones diferenciales la presión mínima absoluta es: P$_2$ = 40 + 14.7

Solución

La constante C se calcula como:

$$C = \frac{\Delta P}{P_2} = \frac{20}{40 \times 14.7} = 0.366$$

Por lo tanto:

$$W = \frac{C(100 - S)}{C + 1} = \frac{0.366(100 - 3)}{0.366 + 1} = 26\%$$

Para calcular la capacidad del tanque de presión en litros, se aplica la fórmula siguiente:

$$T = \frac{C_m P_u}{4W} \text{ (litros)}$$

Donde:

T = Capacidad del tanque en litros.

Cm = Ciclos de trabajo de la bomba por cada hora.

P$_u$ = Capacidad de la bomba en litros/minuto.

W = Abatimiento del agua del tanque en %.

Ejemplo

Supóngase que se tiene una bomba con una capacidad de 1500 litros/minuto y el valor de W es el correspondiente al ejemplo (W = 26%), si el ciclo de trabajo es Cm = 5 ciclos/hora.

Solución

$$T = \frac{CmPu}{4W} = \frac{5 \times 1500}{4 \times 0.26} = 7211.54 \text{ litros}$$

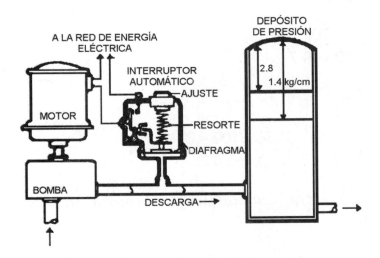

TANQUE HIDRONEUMÁTICO PARA POZO

TANQUES DE PRESIÓN HIDRONEUMÁTICO, ESTÁNDAR "UNIVERSAL"

DIMENSIONES: DIÁMETRO X ALTURA (M)	CAPACIDAD (L)	PESO (kg)
0.004 x 0.914	68	22
0.406 x 1.22	159	36
0.608 x 1.524	310	63
0.609 x 1.524	454	98
0.762 x 1.83	833	179
0.914 x 1.83	1192	229
0.94 x 3.5	1987	305

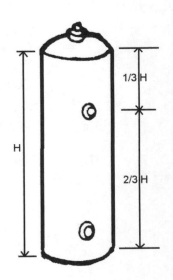

TABLA 4

TAMAÑO Y CAPACIDAD DE TANQUES HIDRONEUMÁTICOS			
CAPACIDAD APROXIMADA (GALONES)	DIMENSIONES DEL TANQUE		PESO PARA UNA PRESIÓN DE TRABAJO 100 LB/PULG^2 CUANDO SE VACÍA EL TANQUE EN LIBRAS
	DIÁMETRO PULG.	LONGITUD PIES	
65	20	4	115
85	20	5	140
87	24	4	390
110	24	5	470
135	24	6	540
170	30	5	615
205	30	6	715
340	36	7	970
390	42	6	1050
460	42	7	1190
530	42	8	1310
680	48	8	1770
770	48	9	1950
865	48	10	2170
1300	60	10	3240
1600	60	12	3780
2400	72	12	5620
2820	72	14	6500
3150	72	16	7300
3260	84	12	7570
3700	84	14	8800
4330	84	16	9800
4880	84	18	10570
4830	96	14	11700
5580	96	16	12900
7500	96	22	14600
10000	96	29	18600

DIFERENCIALES DE PRESIÓN Y VOLUMEN PARA TANQUES HIDRONEUMÁTICOS

PRESIÓN EN EL TANQUE - Lb/Plg^2 (MANOMÉTRICA)

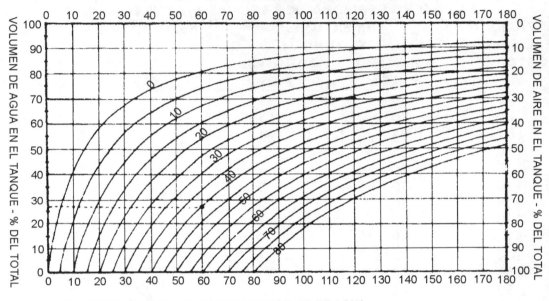

•AUMENTARLE AL RESULTADO UN % POR SELLO DE AGUA

3.3 DETERMINACIÓN DE LA CARGA PARA EL SISTEMA DE AGUA DOMÉSTICO.

La cantidad de agua requerida en una edificación (casa o edificio) se puede hacer aplicando métodos estadísticos, basados en las observaciones de los consumos de agua para los picos coincidentes (demandas máximas simultáneas) para todas las categorías de usos o cargas. Aquí se divide este consumo por categorías de edificaciones, por ejemplo, en los edificios de oficinas la demanda máxima coincidente se da durante el verano al medio día, cuando los edificios están totalmente ocupados y las instalaciones hidráulicas están a pleno uso. Para las casas habitación, la demanda máxima coincidente se da durante el verano, pero alrededor de la hora de la comida cuando las personas están en casa, toman el baño, preparan alimentos, lavan, etcétera.

El otro método, se basa en los cálculos tomando valores típicos y es el que se describe a continuación:

LAS FACILIDADES PARA LAS INSTALACIONES HIDRÁULICAS

La demanda de agua para los accesorios o muebles sanitarios y los elementos de una instalación hidráulica, depende del tipo y número de muebles instalados. En las instalaciones hidráulicas, para estos cálculos se incorpora el **concepto de dotación**, que quiere decir la cantidad de agua que consume en promedio una persona al día, se expresa en litros y considera todos los usos personales (aseo, alimentos, etcétera).

Para el cálculo de una instalación hidráulica es básico determinar la cantidad de agua que se va a consumir, considerando el número de accesorios o muebles que puedan operar en forma simultánea, el tipo de edificación de que se trate, así como el servicio que prestará; algunos valores de referencia se dan en la tabla siguiente:

TABLA 5

DOTACIONES SEGÚN DIFERENTES TIPOS DE EDIFICIOS		
Habitación tipo popular	150	litros/pers./día
Residencias	250-500	litros/pers./día
Oficinas (edificios)[1]	70	litros/empl./día
Hoteles	500	litros/huesp./día
Cines	2	litros/espect./func.
Fábricas (sin industria)	100	litros/obrero/turno
Baños públicos	500	litros/bañista/día
Escuelas	100	litros/alumno/día
Clubes (baños)[2]	500	litros/bañista/día
Restaurantes	10	litros/comida/turno
Lavanderías	40	litros/Kg. ropa
Hospitales	350-1000	litros/cama/día
Riego jardines	5	litros/m^2/cesped
Garaje público[3]	5000	litros/edificio

(1) En el caso de oficinas, puede estimarse también a razón de 10 litros/m^2/área rentable.

(2) En los clubes hay que adicionar las dotaciones por concepto de: bañistas, restaurante, riego jardines, auditorios, etcétera.

(3) Almacenamiento mínimo más 5 litros/m^2 de superficie/piso, para servicio contra incendio exclusivamente.

También, para estimar el consumo de agua necesaria, se puede aplicar el valor de la demanda de agua probable para diferentes aparatos, de acuerdo a la tabla siguiente:

Tabla 6
DEMANDAS DE AGUA DE DIFERENTES APARATOS
(EN LITROS POR MINUTO)

	PRIVADOS	PÚBLICOS
Lavabo	11.3	22.7
Tina	18.9	37.8
Regadera independiente	18.9	37.8
Grupo de cuarto de baño, depósito de descarga	37.8	53.0
Inodoro con depósito de descarga	11.3	18.9
Inodoro con descarga por depósito de presión	37.8	60.6
Urinario de pedestal		37.8
Urinario de pared o cabina con depósito		11.3
Urinario con válvula de presión		18.9
Fregadero de cocina	15.1	30.3
Fregadero inclinado sencillo	11.3	22.7
Juego de lavaderos	15.1	
Grifo o acoplamiento de manguera	18.9	

Cuando al problema se trata de dar valores estimados de consumos globales para edificios, entonces se puede usar información como la de la tabla siguiente:

TABLA 7
DEMANDAS DE AGUA PARA PEQUEÑOS EDIFICIOS EN LITROS POR MINUTO

➲ Viviendas para una sola familia:	
Con un cuarto de baño	45.4
Con dos cuartos de baño	60.5
Con tres cuartos de baño y dos fregaderos	75.7
➲ Pequeñas casas de departamentos:	
Con cuatro cuartos de baño y cuatro cocinas	94.6
Con ocho cuartos de baño y ocho cocinas	132.3
Con dieciséis cuartos de baño y dieciséis cocinas	800.0
➲ Grifos o acoplamientos para manguera:	
Uno	18.9
Dos	34.2
Tres	45.4

Otro método de cálculo se basa en el uso del concepto de **unidad de mueble**, que se define como sigue *"Una unidad de mueble (UM) es un factor pesado que toma en consideración la demanda de agua de varios tipos de accesorios o muebles sanitarios, usando como referencia un lavabo privado como 1 UM"* (el flujo de agua es de 0.063 litros/seg. a 0.0945 litros/seg.).

En la tabla siguiente, se dan las equivalencias de muebles en unidades de gasto.

TABLA 8
EQUIVALENCIA DE LOS MUEBLES EN UNIDADES DE GASTO

MUEBLE	SERVICIO	CONTROL	U.M.
Excusado	Público	Válvula	10
Excusado	Público	Tanque	5
Excusado	Privado	Válvula	6
Excusado	Privado	Tanque	3
Mingitorio pedestal	Público	Válvula	10
Mingitorio pared	Público	Válvula	5
Mingitorio pared	Público	Tanque	3
Regadera	Público	Mezcladora	4
Regadera	Privado	Mezcladora	2
Fregadero	Hotel rest.	Llave	4
Fregadero	Privado	Llave	2
Vertedero	Oficina	Llave	3
Lavadero	Privado	Llave	3
Lavabo	Público	Llave	2
Lavabo	Privado	Llave	1
Tina	Privado	Mezcladora	2
Vertedero	Público	Llave	3
Grupo baño	Privado	Exc. válvula	8
Grupo baño	Privado	Exc. tanque	6

U.M. = Unidades mueble.

Ejemplo

Calcular el total de unidades mueble (U.M.) que se requieren en un edificio de oficinas al que se van a instalar los siguientes muebles o accesorios:

CANTIDAD	TIPO DE MUEBLE O ACCESORIO
10	W.C.
4	Mingitorio de pared
8	Lavabos

Solución

De acuerdo con la Tabla 8, se pueden determinar las unidades mueble para los muebles o accesorios como sigue:

TIPO DE MUEBLE O ACCESORIO	CANTIDAD	U.M.	U.M. TOTAL
W.C. (tipo público)	10	10	100
Mingitorio de pared	4	5	20
Lavabos	8	1	8
Total de unidades mueble instaladas = **128**			

Las facilidades mínimas que se deben tener en un edificio u ocupación se dan en la Tabla 9.

Para calcular el gasto probable (litros/seg.) de agua en una edificación, basado en el cálculo de las unidades mueble (U.M.), se puede hacer uso de los datos de la Tabla 10, en la columna correspondiente a *gasto probable en válvula*.

Ejemplo

Para el ejemplo anterior se determinaran 128 UM, calcular la demanda estimada de agua fría en litros/seg.

Solución

De acuerdo a la Tabla 10, el valor de 128 UM está próximo a 130 UM y se puede tomar este valor como referencia, la tabla tiene dos columnas, una corresponde a tanque o tinaco y la otra a válvula, para los fines de la demanda estimada se debe considerar la columna de válvula, que en este caso es de 4.80 litros/seg.

TABLA 9
FACILIDADES MÍNIMAS

TIPO DE EDIFICIO U OCUPACIÓN	INODOROS (W.C.)	MINGITOROS	LAVABOS	TINAS O REGADERAS	BEBEDEROS
Edificios de apartamentos o habitaciones	1 para cada habitación o departamento		1 para cada habitación o departamento	1 para cada habitación o departamento	
Escuelas: Primaria / Secundaria	Hombres: 1 por 100 / 1 por 100. Mujeres: 1 por 35 / 1 por 45	1 por cada 30 hombres / 1 por cada 30 hombres	1 por cada 60 personas / 1 por cada 100 personas		1 por cada 75 personas / 1 por cada 75 personas
Oficinas o edificios públicos	No. de personas — No. de muebles: 1-15 = 1; 16-35 = 2; 36-55 = 3; 56-80 = 4; 81-110 = 5; 111-150 = 6. 1 mueble por cada 40 personas adicionales	En donde sean colocados para hombres substitúyase un inodoro para cada mingitorio, excepto, en el caso que los inodoros instalados sean disminuidos a los 2/3 del mínimo especificado	No. de personas — No. de Muebles: 1 - 15 = 1; 16 - 35 = 2; 36 - 60 = 3; 61 - 90 = 4; 91 - 125 = 5. 1 mueble por cada 45 personas adicionales		1 por cada 75 personas
Fábricas, casas comerciales, fundiciones y establecimientos similares	No. de personas — No. de muebles: 1-9 = 1; 10-24 = 2; 25-49 = 3; 50-74 = 4; 75-100 = 5. 1 mueble por cada 30 empleados adicionales	La misma substitución de arriba	1 por 100 personas, 1 mueble para cada 10 personas que pasen de 100, 1 para cada 15 personas	1 regadera por cada 15 personas expuestas a calor excesivo o contaminación en la piel con infecciones o material irritante	1 por cada 75 personas
Dormitorios	Hombres: 1 por cada 10 personas. Mujeres: 1 por cada 8 personas. Mayor que 10 personas auméntese 1 mueble por cada 25 personas adicionales	1 por cada 25 hombres. Mayor de 150 personas, auméntese 1 mueble por cada 50 hombres adicionales.	1 para cada 12 personas (Lavabos dentales: 1 para cada 49 personas). Aumentar un lavabo para cada 80 hombres y para cada 15 mujeres.	1 para cada 8 personas en el caso de dormitorio de mujeres, instálese 1 tina adicional en la relación de 1 para 30. Más de 150 personas añádase 1 mueble para cada 20 personas	1 por cada 75 personas

TABLA 10
GASTOS PROBABLES EN LITROS POR SEGUNDO

U.M.	GASTO PROBABLE		U.M.	GASTO PROBABLE	
	TANQUE	VÁLVULA		TANQUE	VÁLVULA
10	0.57	1.77	520	8.08	9.02
20	0.89	2.21	540	8.32	9.20
30	1.26	2.59	560	8.55	9.37
40	1.52	2.90	580	8.79	9.55
50	1.80	3.22	600	9.02	9.72
60	2.08	3.47	620	9.24	9.89
70	2.27	3.66	640	9.46	10.05
80	2.40	3.91	680	9.88	10.38
90	2.57	4.10	700	10.10	10.55
100	2.78	4.29	720	10.32	10.74
110	2.57	4.42	740	10.54	10.93
120	3.15	4.61	760	10.76	11.12
130	3.28	4.80	780	10.58	11.31
140	3.41	4.92	800	11.20	11.50
150	3.54	5.11	820	11.40	11.66
160	3.66	5.24	840	11.60	11.82
170	3.79	5.36	860	11.80	11.98
180	3.91	5.42	880	12.00	12.14
190	4.04	5.58	900	12.20	12.30
200	4.15	5.63	920	12.37	12.46
210	4.29	5.76	940	12.55	12.62
220	4.39	5.84	960	12.72	12.78
230	4.45	6.00	980	12.90	12.94
240	4.54	6.20	1000	13.07	13.10
250	4.64	6.37	1050	13.45	13.50
260	4.78	6.48	1100	13.90	13.90
270	4.93	6.60	1150	14.38	14.38
280	5.07	6.71	1200	14.85	14.85
290	5.22	6.83	1250	15.18	15.18
300	5.36	6.94	1300	15.50	15.50
320	5.61	7.13	1350	15.90	15.90
340	5.86	7.32	1400	16.20	16.20
360	6.12	7.52	1450	16.60	16.60
380	6.37	7.71	1500	17.00	17.00
400	6.62	7.90	1550	17.40	17.40
420	6.87	8.09	1600	17.70	17.70
440	7.11	8.28	1650	18.10	18.10
460	7.36	8.47	1700	18.50	18.50
480	7.60	8.66	1750	18.90	18.90
500	7.85	8.85	1800	19.20	19.20

TABLA 11
DIÁMETRO DE TUBERÍAS DE AGUA*

DIÁMETRO EN PULGADAS	LONGITUD DESARROLLADA DE LA TUBERÍA (MÁXIMA)	NECESIDADES DE UNIDAD-MUEBLE (MÁXIMA)
$\frac{3}{4}$"	15	25
$\frac{3}{4}$"	30	16
$\frac{3}{4}$"	45	15
1"	15	40
1"	30	33
1"	45	28
1"	15	50
1"	30	40
1"	45	30
1 $\frac{1}{4}$"	15	96
1 $\frac{1}{4}$"	30	65
1 $\frac{1}{4}$"	45	55
1 $\frac{1}{4}$"	15	150
1 $\frac{1}{4}$"	30	100
1 $\frac{1}{4}$"	45	65
1 $\frac{1}{2}$"	15	250
1 $\frac{1}{2}$"	30	160
1 $\frac{1}{2}$"	45	130

* Para edificios pequeños.

Estas medidas están calculadas para mantener una velocidad máxima de 3.00 m por segundo (10 pies por segundo), basada en una caída de presión de 1.15 Kg/m^2 por cada 100 m de longitud (5 libras por pulgada cuadrada por 100 pies).

SERVICIOS DE COMIDA

La demanda ce agua para instalaciones con servicio de comida puede variar en forma considerable entre el equipo residencial y comercial, en general, la preparación de alimentos y su cocinado no requiere de mucha agua, la maycr demanda de agua es para el lavado en fregaderos o máquinas lavaplatos, el uso del agua para lavado en fregaderos se toma en consideración en los muebles o accesorios de la instalación hidráulica, por lo que la única carga que se debe adicionar son las máquinas lavaplatos o lavatrastos que requieren de 0.63 a 0.945 litros para unidades residenciales, por lo que para estimar la demanda se puede considerar de 0.126 a 0.189 litros/seg. Para máquinas comerciales la demanda es de 5 a 10 veces mayor.

SERVICIO DE LAVADO

La demanda de agua para servicios de lavado varía también entre los equipos residenciales y comerciales, las lavadoras de uso residencial requieren entre 1.25 y 2.5 litros de agua por lavado; dependiendo del tamaño de la máquina y del ciclo de lavabo, se puede estimar una demanda de 0.252 litros/seg a 0.372 litros/seg por máquina, la demanda para máquinas comerciales la debe proporcionar el fabricante.

3.3.1 DETERMINACIÓN DE LA PRESIÓN DEL AGUA

Un sistema de agua se debe mantener con una presión positiva para establecer un fujo en el sistema de distribución y a través de los accesorios y muebles sanitarios, en forma adicional, la presión del agua positiva previene que sea contaminada por fuentes externas, dado que a una presión positiva el agua tiende a escurrir fuera de los tubos.

La presión del acua debe ser suficiente para superar cualquier pérdida de presión debida a las pérdidas por fricción, diferencias en elevación y flujo de presión en las salidas de los equipos.

Cada mueble sanitario, accesorio o conexión que usa agua debe tener la presión apropiada para mantener el flujo requerido, los valores mínimos de presión necesarios para muebles y accesorios de tipo estándar se dan en la Tabla 12, la presión del flujo se define como la presión en el accesorio o equipo, mientras el agua está fluyendo el gasto requerido, la presión del flujo puede variar dentro de un rango amplio y los requerimientos particulares para cada accesorio se deben obtener de los fabricantes. En estos casos, se toma como referencia las regaderas con una diferencia de altura de 2.00 m, que equivale una presión mínima de 0.2 Kg/cm².

TABLA 12

GASTO Y PRESIONES MEDIAS PARA EL FUNCIONAMIENTO CORRECTO DE MUEBLES

MUEBLE	PRESIÓN (m)	GASTO, LPS
Excusado fluxom.	7 a 14	1.0 a 2.5
Excusado tanque	10.5	0.19
Urinario fluxom.	10.5	0.95
Regadera	8.5	0.32
Tina	3.5	0.38
Vertedero 13 mm.	3.5	0.28
Llave de agua	5.6	0.19
Manguera de 15 m.	21.0	0.32

Gasto máximo probable en litros por segundo, con inodoros con fluxómetro:

$$G = \frac{\sqrt{unidades\ gasto}}{2.3} = L.P.S. = litros\,/\,seg.$$

En las instalaciones hidráulicas con distribución de agua a presión y muebles con fluxómetro, la presión mínima es entre 0.8 y 0.15 Kg/cm²

3.3.2 SISTEMA DE SUMINISTRO DE AGUA CALIENTE

El sistema de suministro de agua caliente se puede considerar como un subsistema del sistema de agua fría, de hecho, la demanda de agua caliente está incluida en la de agua fría. El uso de agua caliente en casas y edificios varía considerablemente, desde muy pequeño uso en departamentos en edificios, hasta un uso muy elevado en residencias, restaurantes y hoteles. El diseño de los sistemas de agua caliente es muy parecido a los de agua fría, sólo que con varias consideraciones adicionales.

LA FUENTE DE ENERGÍA CALORÍFICA

El agua caliente se genera normalmente en las casas o edificios por medio de calentadores de agua que usan como fuente de energía aceite (petróleo), gas, electricidad, y en los casos más desfavorables, que no se dispone de estas fuentes, también se puede usar leña o combustibles similares. En general, los calentadores de agua tienen una capacidad de almacenamiento desde algunos pocos litros o galones hasta cientos de litros o galones, como recomendación general los calentadores se deben instalar lo más cercano posible al punto de máxima demanda de agua caliente.

En la figura siguiente, se muestran las partes principales de un calentador de gas y uno eléctrico.

ELEMENTOS PRINCIPALES DE UN CALENTADOR DE GAS

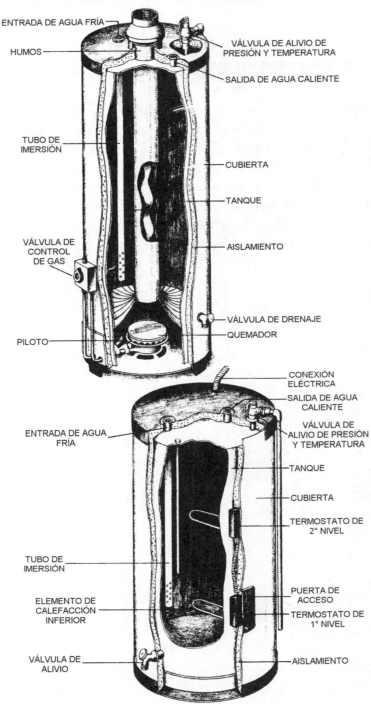

ENTRADA DE AGUA FRÍA

VÁLVULA DE ALIVIO DE PRESIÓN Y TEMPERATURA

HUMOS

SALIDA DE AGUA CALIENTE

TUBO DE IMERSIÓN

CUBIERTA

TANQUE

AISLAMIENTO

VÁLVULA DE CONTROL DE GAS

VÁLVULA DE DRENAJE

PILOTO

QUEMADOR

CONEXIÓN ELÉCTRICA

SALIDA DE AGUA CALIENTE

ENTRADA DE AGUA FRÍA

VÁLVULA DE ALIVIO DE PRESIÓN Y TEMPERATURA

TANQUE

CUBIERTA

TERMOSTATO DE 2° NIVEL

TUBO DE IMERSIÓN

ELEMENTO DE CALEFACCIÓN INFERIOR

PUERTA DE ACCESO

TERMOSTATO DE 1° NIVEL

VÁLVULA DE ALIVIO

AISLAMIENTO

ELEMENTOS DE UN CALENTADOR ELÉCTRICO

1. **EN LA PARTE SUPERIOR DEL CALENTADOR SE TIENE LA VÁLVULA DE ALIVIO QUE SE ABRE CUANDO LA TEMPERATURA O LA PRESIÓN DENTRO DEL TANQUE ES PELIGROSA.**

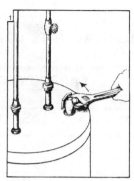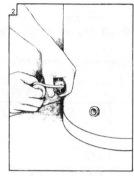

2. **LOS CALENTADORES TIENEN UNA VÁLVULA DE DRENAJE DE AGUA CALIENTE, PARA REPARARLA SE CORTA EL SUMINISTRO DE AGUA FRÍA Y EL DE COMBUSTIBLE.**

3. **FORMA DE COLOCAR LOS TUBOS DE HUMO, CUYA COLOCACIÓN SE DEBE SUPERVISAR PARA EVITAR FUGAS DE MONÓXIDO DE CARBONO.**

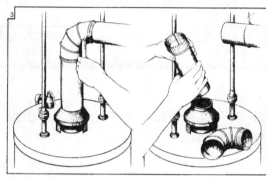

4. **LA COLOCACIÓN DE LAS TUBERÍAS DE AGUA Y COMBUSTIBLE AL CLALENTADOR SE DEBE HACER CON MUCHO CUIDADO, DESPUÉS DE HACER CONEXIONES SE DEBE RECTIFICAR QUE NO SE TENGAN FUGAS.**

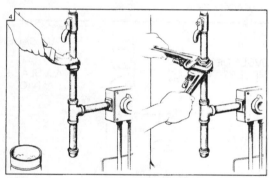

VERIFICACIÓN DE ALGUNAS
INSTALACIONES EN CALENTADORES
DE AGUA A GAS

Este tipo de calentadores se conoce como **"calentadores de depósito"**, y en éstos, el calor que se produce por la combustión se aplica en forma directa al tanque o depósito, en el fondo y en el interior de la chimenea. Los datos de capacidades para algunas marcas comerciales se dan en la tabla siguiente:

TABLA 13
DATOS PARA ALGUNOS CALENTADORES COMERCIALES

MARCA	CAPACIDAD	
	LITROS	GALONES
Helvex	25, 38, 57 y 76	65, 10, 15 y 20
Cinsa	28, 38, 57, 71, 114 y 152	65, 10, 15, 20, 30 y 40
Calorex	38, 57, 76, 114, 152 y 227	10, 15, 20, 30, 40 y 60
Magamex	25, 38, 57, 76, 114 y 152	65, 10, 15, 20, 30 y 40

Cuando las cantidades de agua requeridas exceden la capacidad de los calentadores, se pueden instalar varios en paralelo.

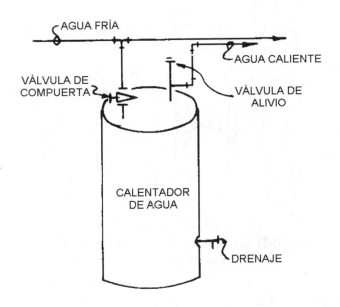

ELEMENTOS DE LA INSTALACIÓN HIDRÁULICA EN UN CALENTADOR DE AGUA

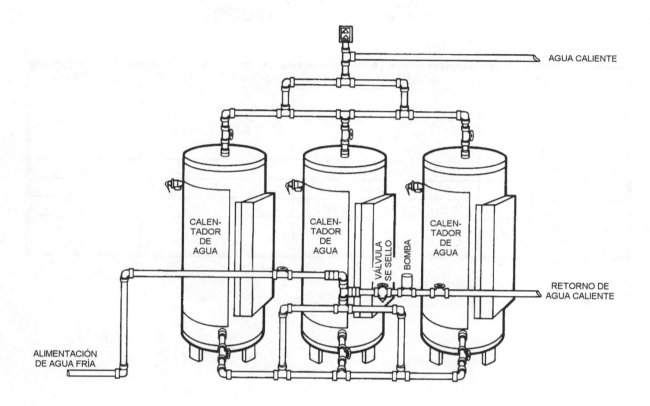

AGUA CALIENTE

CALEN-
TADOR
DE
AGUA

CALEN-
TADOR
DE
AGUA

CALEN-
TADOR
DE
AGUA

VÁLVULA
SE SELLO

BOMBA

RETORNO DE
AGUA CALIENTE

ALIMENTACIÓN
DE AGUA FRÍA

3.3.3 DEMANDA DE AGUA CALIENTE

La demanda de agua caliente varía con el usuario, por ejemplo, una persona puede requerir sólo de tres minutos para tomar un baño en una regadera, pero otra puede tomar 15 minutos, pero el gasto o demanda del flujo permanece igual en ambos casos y, entonces, el que toma 15 minutos requiere de 5 veces más la cantidad de agua que el primero.

TABLA 14
DEMANDAS DE AGUA CALIENTE

EDIFICIO	AGUA A 60° C	DEMANDA HORA	ALMACÉN
RESIDENCIAS DEPARTAMENTOS HOTELES HOSPITALES	150 Litros por día por persona	1/7	1/5
OFICINAS	8 Litros/persona	1/5	1/5
FÁBRICAS	19 Litros/persona	1/3	2/5
RESTAURANTE	9.5 Litros/por comida	1/10	1/10
BAÑOS PÚBLICOS (REGADERAS)	568 Litros	1/3	9/10

TABLA 15
DEMANDAS DE AGUA CALIENTE EN LITROS POR HORA POR MUEBLE
(CALCULADAS A UNA TEMPERATURA FINAL DE 60°C)

	CASA DE APARTAMENTOS	CLUBS	GIMNASIOS	HOSPITAL	HOTEL	PLANTA INDUSTRIAL	EDIFICIO DE OFICINAS	RESIDENCIA PRIVADA	ESCUELA	Y.M. C.A.
Lavabo privado	8	8	8	8	8	8	8	8	8	8
Lavabo público	15	23	30	23	45	45	23	-	57	30
Tinas	75	75	110	75	110	110	-	75	-	110
Lavadora trastos	55	190/570	-	190/750	75/380	75/380	-	55	75/380	75/380
Fregadero cocina.	38	75	-	75	75	75	-	38	38	75
Lavadoras chicas.	75	100	-	100	-	-	-	75	-	100
Vertederos pautry.	20	40	-	40	-	-	-	20	40	40
Regaderas.	300	550	850	300	850	850	-	300	850	850
Vertederos	75	75	-	75	75	75	60	60	75	75
0. Factor de demanda.	0.30	0.30	0.40	0.25	0.25	0.40	0.30	0.30	0.40	0.40
Factor de capacidad de almacenamiento.*	1.25	0.50	1.00	0.60	0.80	1.00	2.00	0.70	1.00	1.00

(*) Relación de la capacidad del tanque de almacenamiento a la probable demanda máxima por hora.

TABLA 16

DEMANDA ESTIMADA DE AGUA CALIENTE POR PERSONA PARA VARIOS TIPOS DE EDIFICIOS

TIPO DE EDIFICIO	DEMANDA HORARIA MÁX. EN RELACIÓN AL USO DIARIO	DURACIÓN EN HORAS DE LA CARGA "PICO"	CAPACIDAD DEL DEPÓSITO ALMACENAR	CAPACIDAD DE CALENTAMIENTO	AGUA CALIENTE NECESARIA 60°C
Residencias, apartamentos, hoteles, etcétera.	1/7	4	1/5	1/7	150 Hrs. x persona/día
Edificios de oficinas	1/5	2	1/5	1/6	7.5 Hrs. x persona/día
Fábricas	1/3	1	2/5	1/8	20 Hrs. x persona/día
Restaurantes			1/10	1/10	7 Hrs. x persona/día
Restaurantes 3 comidas por día	1/10	8	1/5	1/10	
Restaurantes 1 comida por día	1/5	2	2/5	1/6	

TABLA 17
DOTACIÓN DIARIA DE AGUA CALIENTE

TIPO DE SERVICIO	DOTACIÓN
CASAS HABITACIÓN	100 Litros/persona
RESIDENCIAS	120 Litros/persona
UNIDADES HABITACIONALES	
Hasta 100 personas	100 Litros/persona
De 100 a 250 personas	90 Litros/persona
Más de 250 personas	80 Litros/persona
EDIFICIOS DE DEPARTAMENTOS DE PRIMERA Y LUJO:	
Hasta 100 personas	120 Litros/persona
De 100 a 250 personas	110 Litros/persona
Más de 250 personas	100 Litros/persona
HOSPITALES	
Con todos los servicios	120 Litros/cama
En baños encamados	90 Litros/cama
HOTELES PRIMERA Y LUJO, CON 2 PERSONAS/CUARTO:	
Con lavandería	120 Litros/persona
Segunda	100 Litros/persona
Tercera	80 Litros/persona
RESTAURANTES, CAFETERÍAS Y COMEDORES INDUSTRIALES	10 Litros/comida
FABRICAS:	
Baños de obreros	20 Litros/persona
Baños 100% obreros	50 Litros/persona
LAVADO DE ROPF EN HOTELES, INTERNADOS Y COMUNIDADES	20 Litros/persona
OFICINAS Y TIENDAS DE AUTO-SERVICIO.	7.5 Litros/persona

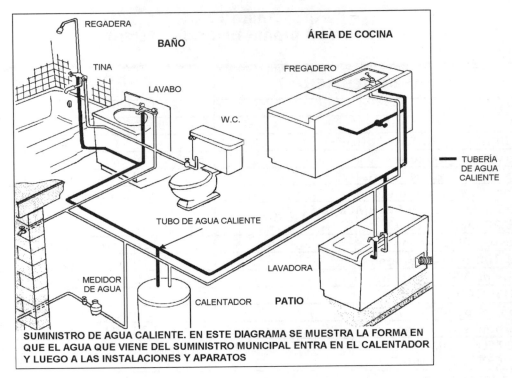

SUMINISTRO DE AGUA CALIENTE. EN ESTE DIAGRAMA SE MUESTRA LA FORMA EN QUE EL AGUA QUE VIENE DEL SUMINISTRO MUNICIPAL ENTRA EN EL CALENTADOR Y LUEGO A LAS INSTALACIONES Y APARATOS

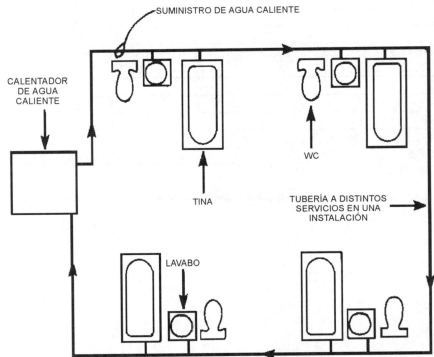

DISTRIBUCIÓN DE AGUA CALIENTE A VARIOS SERVICIOS EN BAÑOS

La temperatura del agua caliente varía con el uso que se de al agua, por ejemplo, para uso residencial debe estar entre 45°C y 60°C y el agua mezclada (ente la caliente y la fría) debe estar entre 38°C y 45°C, de esta manera tiene un uso satisfactorio.

TABLA 18

UNIDADES MUEBLE PARA EL CÁLCULO DE LAS TUBERÍAS DE DISTRIBUCIÓN DE AGUA EN LOS EDIFICIOS

MUEBLE	TIPO	UNIDADES MUEBLE		
		TOTAL	A. FRÍA	A. CAL.
LAVABO	Corriente	1	0.75	0.75
BIDET		1	0.75	0.75
TINA		2	1.50	1.50
REGADERA		2	1.50	1.50
FREGADERO	Cocina	2	1.50	1.50
VERTEDERO		2	1.50	1.50
LAVADERO		3	2	2
FREGADERO	Pantry	3	2	2
FREG. LAVAPLATOS	combinac	3	2	2
URINARIO	Con llave	3	3	----
LAVADORA	Mecánico	4	3	3
EXCUSADO	Tanque	5	5	----
URINARIO	Huxóm	5	5	----
EXCUSADO PRIVADO	Huxóm	8	8	----
EXCUSADO PÚBLICO	Huxóm	10	10	----
CUARTO BAÑO	Tanque	6	4	3
CUARTO BAÑO	Huxóm	8	6	3

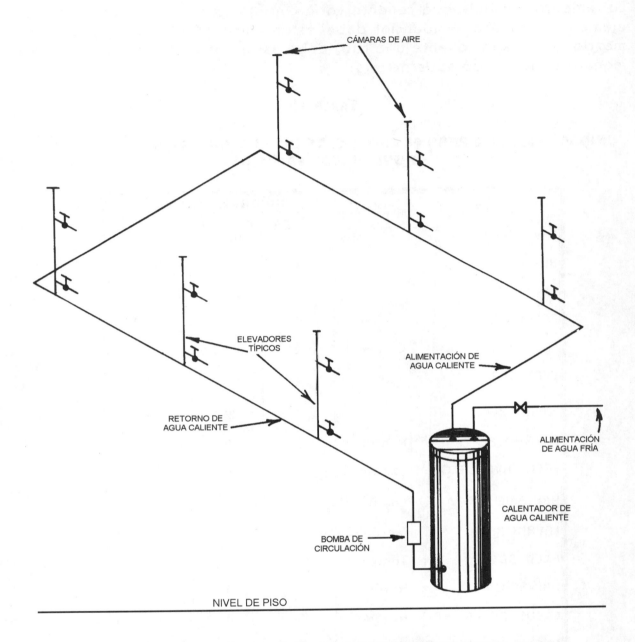

CÁMARAS DE AIRE

ELEVADORES
TÍPICOS

ALIMENTACIÓN DE
AGUA CALIENTE

ALIMENTACIÓN
DE AGUA FRÍA

RETORNO DE
AGUA CALIENTE

CALENTADOR DE
AGUA CALIENTE

BOMBA DE
CIRCULACIÓN

NIVEL DE PISO

SISTEMA DE DISTRIBUCIÓN DE AGUA CALIENTE O MALLA O LAZO USADO PARA PEQUEÑOS EDIFICIOS DE DEPARTAMENTOS

CÁLCULO DEL SUMINISTRO DE AGUA CALIENTE

Para calcular las tuberías para el suministro de agua caliente, el primer paso consiste en determinar la demanda total en unidades mueble (UM) para los accesorios o muebles que usarán agua caliente, para esto, es necesario elaborar una lista de los accesorios que requieren agua caliente y usar la Tabla 8, cuando se desconoce la información de los fabricantes de los muebles y accesorios.

Ejemplo

Calcular el suministro necesario de agua caliente para una casa en la que se van a alimentar los siguientes muebles.

→ 2 WC de tanque.

→ 2 lavabos (privados).

→ 2 tinas con regadera.

→ 1 fregadero de cocina.

→ 1 fregadero de ropa.

Solución

De acuerdo con la Tabla 8, las unidades muebles requeridas son:

TIPO DE MUEBLE O ACCESORIO	CANTIDAD	U.M.	U.M. TOTAL
W.C. de tanque	2	3	6
Lavabo (privado)	2	1	2
Tina con regadera	2	2	4
Fregadero cocina	1	2	2
Fregadero (lavado)	1	3	3
		Total =	17

De acuerdo con la Tabla 10, el gasto probable (en válvula) para 17 U.M (aproximadamente 20) es: 2.21 litros/seg.

3.4 LAS INSTALACIONES SANITARIAS.

Las instalaciones sanitarias tienen como función retirar de las edificaciones (casas-habitación y edificios), en forma segura, las aguas negras y pluviales, instalando trampas y obturaciones para evitar que los malos olores y gases producto de la descomposición de las materias orgánicas salgan por los conductos donde se usan los accesorios o muebles sanitarios, o bien, por las coladeras.

Para fines de diseño de las instalaciones sanitarias, es necesario tomar en cuenta el uso que se va a hacer de dichas instalaciones, el cual depende fundamentalmente del tipo de casa o edificio al que se va a prestar servicio, por lo que para diseñar se clasifican las instalaciones sanitarias en **tres tipos o clases.**

Primera clase. Esta es de uso privado y se aplica a instalaciones en vivienda, cuartos de baño privado, hoteles o instalaciones similares, destinadas a una familia o una persona.

Segunda clase. Esta clase es de la llamada uso semipúblico, corresponde a instalaciones en edificios de oficinas, fábricas, etcétera, en donde los muebles son usados por un número limitado de personas que ocupan la edificación.

Tercera clase. A esta clase corresponden las instalaciones de uso público, donde no existe limitación en el número de personas ni en el uso, tal es el caso de los baños públicos, sitios de espectáculos, etcétera.

CÁLCULO DE LAS INSTALACIONES DE DRENAJE

Para el cálculo o dimensionamiento de las instalaciones de drenaje, es necesario definir un concepto que se conoce como: **Unidad de descarga.** Esta unidad **se define en forma convencional como la correspondiente a la descarga del agua residual de un lavabo común en uso doméstico y que corresponde a un caudal de 20 litros por minuto.** Esta unidad de descarga constituye la referencia para estimar las descargas de todos los demás muebles, accesorios o aparatos sanitarios.

TABLA 19
UNIDADES DE DESCARGA Y DIÁMETRO MÍNIMO
EN DERIVACIONES SIMPLES Y SIFONES DE DESCARGA

TIPO DE MUEBLE O APARATO	UNIDADES DE DESCARGA CLASE			DIÁMETRO MÍNIMO DEL SIFÓN Y DERIVACIÓN CLASE		
	1a	2a	3a	1a	2a	3a
Lavabo	1	2	2	32 (1 ¼)	32 (1 ¼)	32 (1 ¼)
W.C.	4	5	6	75 (3)	75 (3)	75 (3)
Tina	3	4	4	38 (1 ¼)	50 (2)	50 (2)
Bide	2	2	2	32 (1 ¼)	32 (1 ¼)	32 (1 ¼)
Cuarto de baño completo con lavabo, W.C., tina y bide	7	-	-	75 (3)	75 (3)	75 (3)
Regadera	2	3	3	38 (1 ¼)	50 (2)	50 (2)
Urinario suspendido	2	2	2	38 (1 ¼)	38 (1 ¼)	38 (1 ¼)
Urinario vertical	-	4	4	-	50 (2)	50 (2)
Fregadero de viviendas	3	-	-	38 (1 ¼)	-	-
Fregadero de restaurante	-	8	8	-	75 (3)	75 (3)
Lavadero (ropa)	3	3	-	38 (1 ¼)	38 (1 ¼)	-
Vertedero	-	8	8	100 (4)	100 (4)	-
Bebedero	1	1	1	32 (1 ¼)	32 (1 ¼)	32 (1 ¼)
Lavaplatos de casa	2	-	-	(1 ½)	-	-
Lavaplatos comercial	-	4	-	-	-	50 (2)
Drenaje de piso con registro de 2 pulg.	2 (50)	2 (50)	-	2 (50)	-	-
Drenaje de piso con registro de 3 pulg.	3 (75)	3 (75)	-	3 (75)	-	-

Nota: El diámetro mínimo es el diámetro nominal de la tubería (mm pulg).

DIMENSIONADO DE LOS DUCTOS DE VENTILACIÓN O SALIDA DE DESPERDICIOS

El tipo más simple de salidas de desperdicio es la ventilación con dos accesorios cuyas aperturas de drenaje horizontal están a alturas diferentes instalados de espalda a espalda, como se muestra en las siguientes figuras. Este tipo de ventilación se dimensiona como sigue:

El drenaje vertical está dimensionado con un tubo de largo mayor que el del accesorio de arriba, pero en ningún caso menor que el drenaje del accesorio más bajo.

Por ejemplo: en la Figura A cuando los desperdicios del lavado están en un nivel arriba que la tarja de la cocina, la porción de salida del tubo de drenaje vertical debe ser de 1 ½ pulg. en lugar de un tubo de 1 ¼ que sería el requerido normalmente para una salida de drenaje de un lavabo. Sin embargo, en la instalación en donde la tarja de la cocina se encuentra arriba del lavabo de baño (Figura B), la salida de líquidos al drenaje es un tubo de 2 pulg. en lugar de 1 ½ pulg. que es el tamaño normal para un tubo de drenaje de tarja.

En la siguiente figura, se muestra una salida de líquidos de drenaje para un baño doméstico o de casa-habitación. En esta instalación, la porción vertical de los desperdicios de lavabo, es la salida para el drenaje de la tina; en este caso, la salida de desperdicios del lavabo se incrementa a 1½ pulg, pero la salida del lavabo que es para los drenajes de tres accesorios, es un tubo de 1¼ pulg.

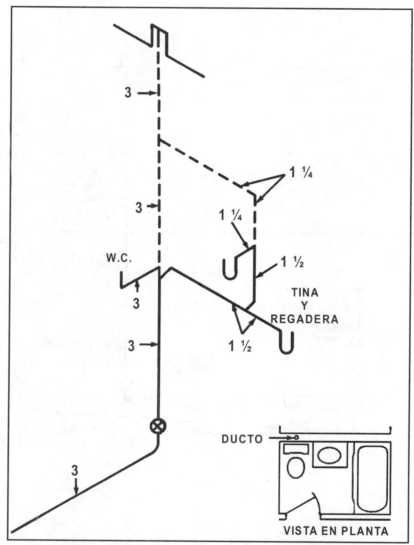

INSTALACIÓN DE VENTILACIÓN PARA UN BAÑO Y DIMENSIONES RECOMENDADAS PARA TUBOS

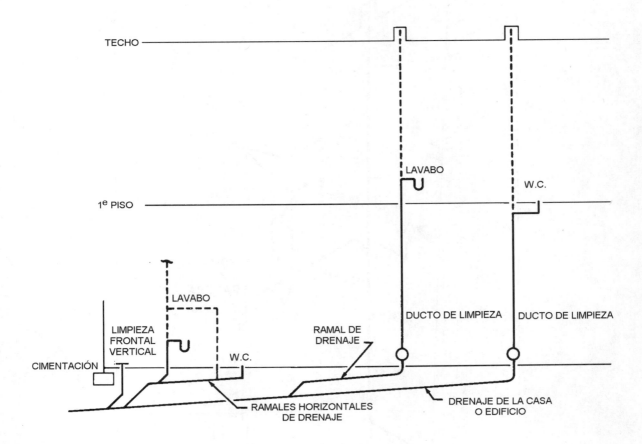

TECHO

LAVABO

W.C.

1e PISO

LAVABO

DUCTO DE LIMPIEZA

DUCTO DE LIMPIEZA

LIMPIEZA
FRONTAL
VERTICAL

RAMAL DE
DRENAJE

CIMENTACIÓN

W.C.

RAMALES HORIZONTALES
DE DRENAJE

DRENAJE DE LA CASA
O EDIFICIO

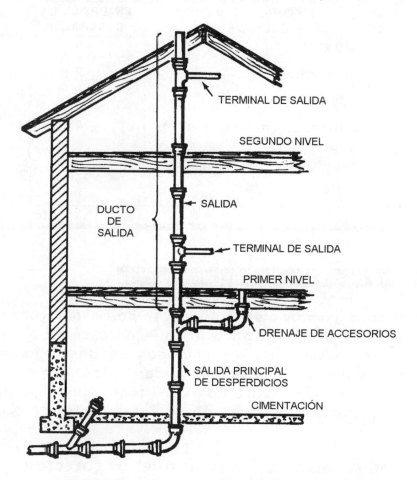

SISTEMA DE DUCTOS DE SALIDA PARA DRENAJE

Ejemplo

Supóngase una instalación sanitaria que consiste de 30 W.C., 28 lavabos, 4 bebederos, 3 urinarios verticales y 2 fregaderos de servicio, calcular el total de unidades de descarga.

Solución

Si se supone que esta instalación es de uso semipúblico, corresponde a la 2ª clase y de acuerdo con los datos y la Tabla 19 se puede elaborar la tabla siguiente:

NO. DE MUEBLES O ACCESORIOS	TIPO DE MUEBLE O ACCESORIO	UNIDADES DE DESCARGA	TOTAL
30	W.C.	5	6
28	Lavabos	2	2
4	Bebederos	1	4
3	Urinarios (mingitorios) de pared)	4	2
2	Fregaderos de servicio (tipo vivienda)	3	3
		Total =	**228**

DIMENSIONAMIENTO DE LAS DERIVACIONES EN COLECTOR

Las derivaciones o ramales se calculan a partir del conocimiento del número de unidades de descarga a las que dará servicio dicha tubería, esto se logra con la suma de las unidades de descarga de todos los muebles sanitarios que va a desalojar la derivación. Como los ramales o derivaciones pueden ser horizontales o tener una pendiente, esta diferencia se debe considerar en el cálculo del diámetro de acuerdo con la Tabla 20.

TABLA 20
DIÁMETRO DE LAS DERIVACIONES EN COLECTOR

DERIVACIÓN EN COLECTOR		NÚMERO MÁXIMO DE UNIDADES DE DESCARGA			
mm	pulg	DERIVACIÓN HORIZONTAL S =0	PENDIENTE		
			1/100	2/100	4/100
32	1 ½	1	1	1	1
38	1 ½	2	2	2	2
50	2	4	5	6	8
63	2 ½	10	12	15	18
75	3	20	24	27	36
100	4	68	84	96	114
125	5	144	180	234	280
150	6	264	330	440	580
200	8	696	870	1150	1680
250	10	1392	1740	2500	3600
300	12	2400	3000	4200	6500
350	14	4800	6000	8500	135000

Ejemplo

Supóngase que en una instalación de plomería se desea calcular el tamaño del ramal o derivación horizontal para dar servicio a: 2 WC, 2 lavabos, 2 regaderas y 2 fregaderos de cocina doméstica.

Solución

Con la información de la Tabla 19, se puede elaborar la tabla siguiente:

NO. DE MUEBLES O ACCESORIOS	TIPO DE MUEBLE O ACCESORIO	UNIDADES DE DESCARGA	TOTAL
2	W.C.	5	10
2	Lavabos	1	2
2	Regaderas	2	4
2	Fregaderos de cocina (casa)	3	6
		Total =	**22**

De la tabla 20, $S = 0$ y 20 unidades de descarga (valor próximo a 22), se requiere un ramal o derivación de 3 pulg. de diámetro.

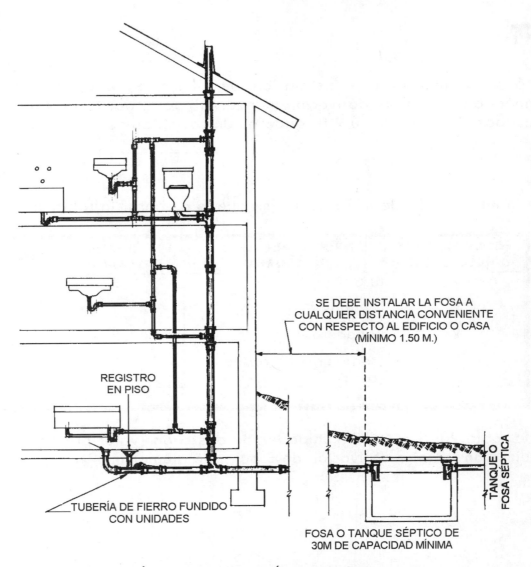

SE DEBE INSTALAR LA FOSA A
CUALQUIER DISTANCIA CONVENIENTE
CON RESPECTO AL EDIFICIO O CASA
(MÍNIMO 1.50 M.)

REGISTRO
EN PISO

TUBERÍA DE FIERRO FUNDIDO
CON UNIDADES

TANQUE O
FOSA SÉPTICA

FOSA O TANQUE SÉPTICO DE
30M DE CAPACIDAD MÍNIMA

**ARREGLO TÍPICO DE LA TUBERÍA Y DETALLES DEL USO
DE UN TANQUE O FOSA SÉPTICA**

3.4.1 LAS TUBERÍAS DE VENTILACIÓN

Por la forma en como trabajan las tuberías de drenaje en las instalaciones sanitarias y las descargas de los muebles sanitarios que son rápidas, dan origen a un fenómeno que en hidráulica se conoce como el **golpe de ariete** que provocan cambios de presión en las tuberías (presiones o depresiones), que pueden anular en ocasiones el efecto de los obturadores, los sellos hidráulicos y las trampas, con lo que el cierre hermético se pierde y entonces los gases y malos olores que se producen al descomponerse las materias orgánicas acarreadas en las aguas negras penetran a las habitaciones de la edificación.

Para evitar estos problemas, se conectan a las tuberías de drenaje otras tuberías denominadas *"Tuberías de ventilación"*, cuyo propósito principal es mantener la presión atmosférica, equilibrando las presiones en ambos lados de los obturadores o trampas hidráulicas, también evitan el peligro depresiones o sobrepresiones que pueden aspirar el agua de los obturadores hacia las bajadas de aguas negras. **Existen básicamente dos tipos de ventilación:**

    ❶ La ventilación húmeda.

    ❷ Doble ventilación.

La *ventilación húmeda* se puede dividir en:

- **Ventilación primaria**

Esta es la ventilación de las bajantes de aguas negras, también se le conoce como *ventilación vertical* y el tubo de esta ventilación debe sobresalir de la azotea hasta una altura conveniente, este tipo de ventilación tiene la ventaja de que acelera el movimiento de las aguas residuales.

- **Ventilación secundaria**

Esta ventilación se hace en los ramales y también se le conoce como *ventilación individual* y se hace este tipo de ventilación con el objeto de que el agua de los obturadores en el lado de la descarga de los muebles, se conecte a la atmósfera y de esta manera se nivele la presión del agua de los obturadores en ambos lados.

- **Doble ventilación**

Se dice que se tiene doble ventilación cuando las derivaciones de ventilación se conectan a una columna de ventilación, que a su vez se prolonga por encima del techo de la edificación. Este tipo de ventilación se prefiere sobre la ventilación húmeda porque tiene un funcionamiento más seguro y eficiente. Con esta ventilación se ventilan los muebles de la instalación sanitaria y las columnas de aguas negras.

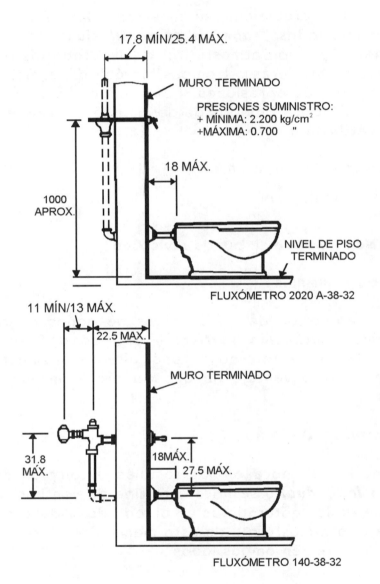

GUÍA MECÁNICA DE INSTALACIÓN DE INODOROS (W.C.)

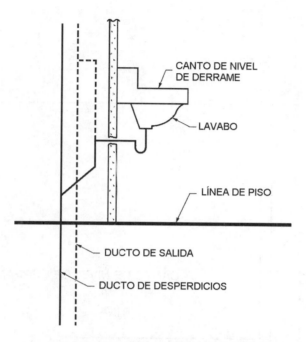

**SISTEMA INDIVIDUAL DE SALIDA PARA UN
LAVABO FIJO EN MURO**

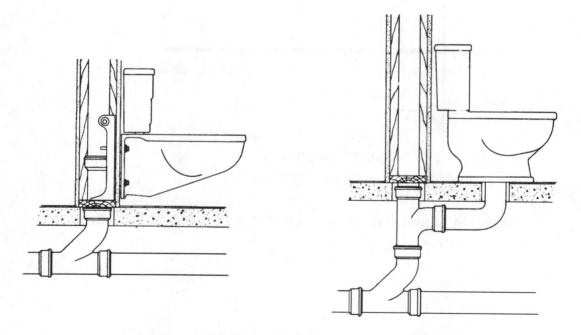

VARIANTES DE INSTALACIÓN DE W.C. (INODORO)

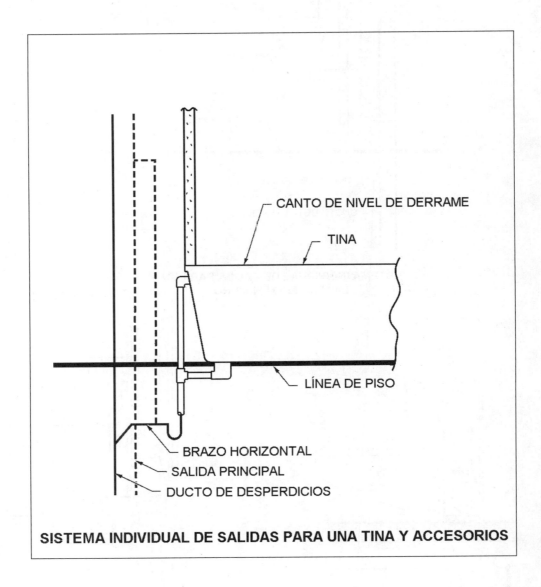

CANTO DE NIVEL DE DERRAME

TINA

LÍNEA DE PISO

BRAZO HORIZONTAL

SALIDA PRINCIPAL

DUCTO DE DESPERDICIOS

SISTEMA INDIVIDUAL DE SALIDAS PARA UNA TINA Y ACCESORIOS

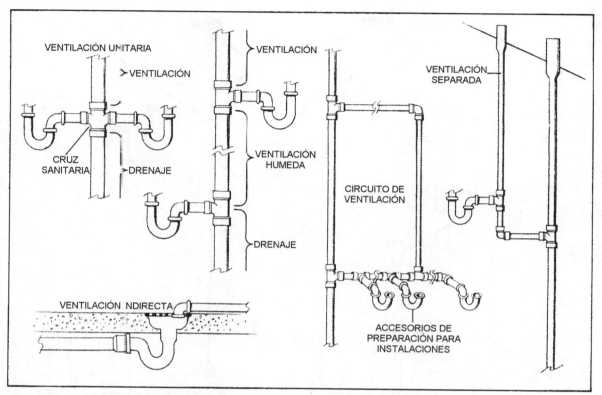

DISTINTAS POSIBILIDADES DE INSTALACIONES PARA VENTILACIÓN

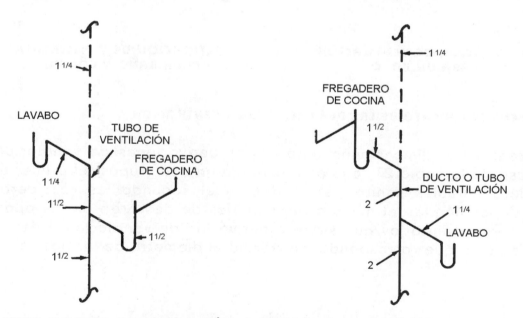

TUBO O DUCTO DE VENTILACIÓN CON SALIDA DE LAVABO Y FREGADERO
AL MISMO TUBO

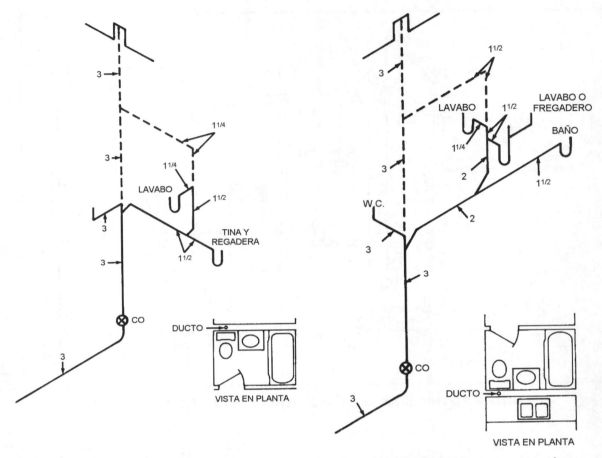

**INSTALACIÓN DE VENTILACIÓN
PARA UN BAÑO**

**INSTALACIÓN DE VENTILACIÓN
PARA BAÑO Y COCINA**

- ## DIMENSIONAMIENTO DE LAS DERIVACIONES DE VENTILACIÓN

Para realizar el dimensionamiento de las derivaciones de ventilación, se hace uso de la Tabla 21, que está dividida en dos grupos: el primer grupo considera muebles sanitarios sin W.C. y el segundo los considera con W.C., dependiendo del número de unidades de descarga de los aparatos o accesorios sanitarios que sirva la derivación de ventilación y del grupo de muebles a que corresponda, se calcula el diámetro de la tubería.

TABLA 21

VENTILACIÓN DE LAS TUBERÍAS DE DRENAJE (DIÁMETRO DE UNA DERIVACIÓN DE VENTILACIÓN PARA VARIOS MUEBLES O APARATOS)

GRUPO DE MUEBLES SIN W.C.			GRUPO DE MUEBLES CON W.C.		
UNIDADES DE DESCARGA	VENTILACIÓN		UNIDADES DE DESCARGA	VENTILACIÓN	
	mm	PULG		mm	PULG
1	32	1 ½			
2 A 8	38	1 ½	Hasta 17	50	2
9 A 18	50	2	18 A 36	63	2 ½
19 A 36	63	2 ½	37 A 60	75	3

- ### DIMENSIONAMIENTO DE LAS COLUMNAS DE VENTILACIÓN.

En la Tabla 21, se encuentran tabulados los diámetros correspondientes a las columnas de ventilación, los cuales se determinan en función de las unidades de descarga que evacuen las columnas de drenaje, del diámetro de las mismas y de la longitud de las columnas de ventilación.

TABLA 22
VENTILACIÓN DE LAS TUBERÍAS DE DRENAJE
(DIÁMETRO DE LAS COLUMNAS DE VENTILACIÓN)

DIÁMETRO DE COLUMNA DE DESCARGA mm	NÚMERO DE UNIDADES DE DESCARGA	DIÁMETRO DE LAS COLUMNAS DE VENTILACIÓN								
		1 ½" 32 mm	1 ½" 38 mm	2" 50 mm	2 ½" 63 mm	3" 75 mm	4" 100 mm	5" 152 mm	6" 160 mm	8" 200 mm
		Máxima longitud de la columna de ventilación en m								
35	Hasta 1	14								
40	Hasta 8	10	18							
50	Hasta 18	9	15	27						
65	Hasta 35	8	140	23	31					
80	Hasta 12		10	36	55	64				
80	Hasta 18		6	21	55	64				
80	Hasta 24		4	15	40	64				
80	Hasta 36		25	11	28	64				
80	Hasta 48		2	10	24	64				
80	Hasta 72		18	8	20	64				
100	Hasta 24			8	33	51	91			
100	Hasta 48			5	20	34	91			
100	Hasta 96			4	14	25	91			
100	Hasta 144			3	11	21	91			
100	Hasta 192			25	9	18	85			
100	Hasta 264			5	6	16	73			
100	Hasta 384			15	5	14	61			

Ejemplo

Calcular el tamaño de la columna de ventilación que se requiere para un grupo de accesorios y muebles de baño que consiste de: 6 W.C. privado tipo válvula, 4 lavabos, 3 urinarios (mingitorios) y 2 regaderas, instalados en el segundo piso de un edificio de 30.5 metros de altura.

Solución

De la Tabla 8, las unidades mueble requeridas son:

CANTIDAD	TIPO DE MUEBLE O ACCESORIO	U.M.	U.M. TOTAL
6	W.C. (privado tipo válvula)	6	36
4	Lavabo	1	4
3	Urinario	5	15
2	Regadera (mezcladora)	2	4
		Total =	**59**

Suponiendo que cada piso tiene 3.05 m de altura, el tamaño de la columna es de aproximadamente 27.0 m del techo al primer piso, de la Tabla 22 se encuentra que hasta 72 unidades de descarga se pueden ventilar, ya sea con 2" (pulg) – 8 m, 2 ½ pulg – 20 m ó 3 pulg. – 64 m, por lo que el tubo de 3 pulg sería suficiente. Para la ventilación de los **accesorios o muebles en forma individual** se toma en consideración:

(1)   El valor del drenaje individual de cada mueble.

(2)   La longitud desarrollada por cada mueble individual de ventilación a drenaje o de ventilación a techo. Algunos tamaños de ventilación individual se dan en la Tabla 23.

TABLA 23
TAMAÑOS DE VENTILACIÓN INDIVIDUAL
PARA DESARROLLOS DE 15 m MÁXIMO

TIPO DE MUEBLE O ACCESORIO	TAMAÑO MÍNIMO DE VENTILACIÓN (PULG)	UNIDADES MUEBLE
Lavabo	1 ¼	1
Bebedero	1 ¼	1
Fregadero de casa	1 ¼	2
Regadera de casa	1 ¼	2
Tina de baño	1 ¼	2
W.C.	2	6
Salida para lavadora	1 ½	3

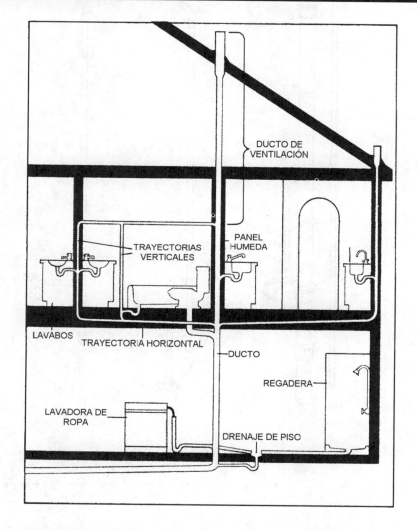

INSTALACIONES HIDRÁULICAS DE PLOMERÍA MURO CONTRA MURO

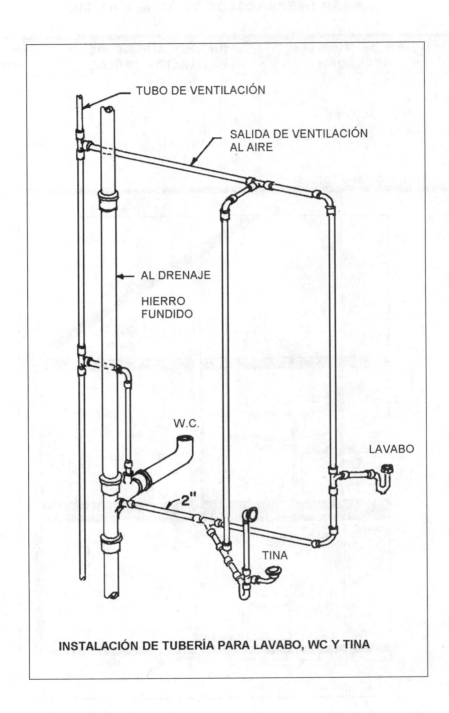

TUBO DE VENTILACIÓN

SALIDA DE VENTILACIÓN
AL AIRE

AL DRENAJE

HIERRO
FUNDIDO

W.C.

LAVABO

2"

TINA

INSTALACIÓN DE TUBERÍA PARA LAVABO, WC Y TINA

TABLA 24
DISTANCIA MÁXIMA DE LA CONEXIÓN DE LA VENTILACIÓN AL CESPOL O TRAMPA

DIÁMETRO DEL DESAGUE (PULG)	DISTANCIA DE LA CONEXIÓN DE VENTILACIÓN (METROS)
1 ¼	0.75
1 ½	0.85
2	1.50
3	1.85
4	3.00

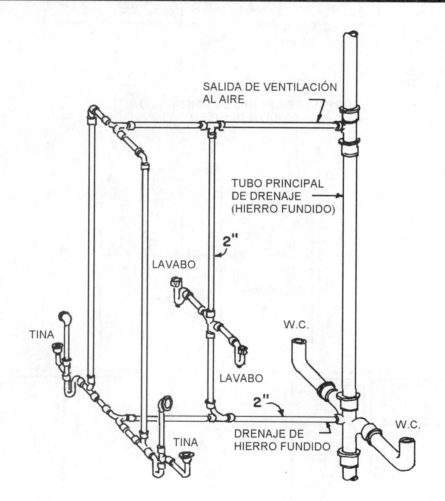

SALIDA DE VENTILACIÓN AL AIRE

TUBO PRINCIPAL DE DRENAJE (HIERRO FUNDIDO)

2"

LAVABO

TINA

LAVABO

W.C.

TINA

2"

DRENAJE DE HIERRO FUNDIDO

W.C.

INSTALACIÓN DE TUBERÍA PARA LAVABO, WC Y TINA (ESPALDA-ESPALDA)

ACCESORIOS ARRIBA

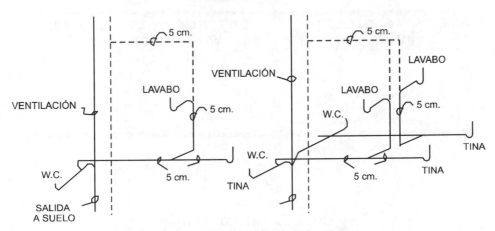

**SISTEMA DE DRENAJE Y VENTILACIÓN
DEBAJO DEL PISO**

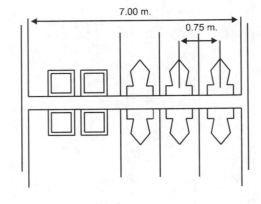

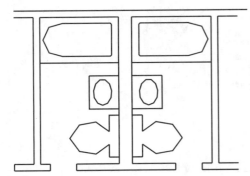

**INSTALACIÓN DE PLOMERÍA ESPALDA A ESPALDA
(BAÑO CON BAÑO)**

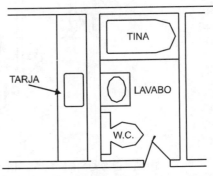

**INSTALACIÓN DE PLOMERÍA ESPALDA A ESPALDA
(COCINA EN BAÑO)**

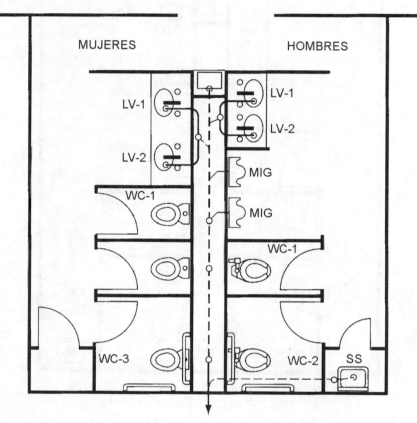

CLAVE: LV= LAVABO
          WC= WATER CLOSE (BAÑO)
          MIG=MINGITORIO
           SS= LAVABO DE SERVICIO

PLANTA ARQUITECTÓNICA DE DOS BAÑOS Y DIBUJO
DE PLOMERÍA MOSTRANDO EL SISTEMA DE TUBERÍA

a) VISTA EN PLANTA ARQUITECTÓNICA.
b) VISTA EN PLANTA DE LAS INSTALACIONES DE PLOMERÍA

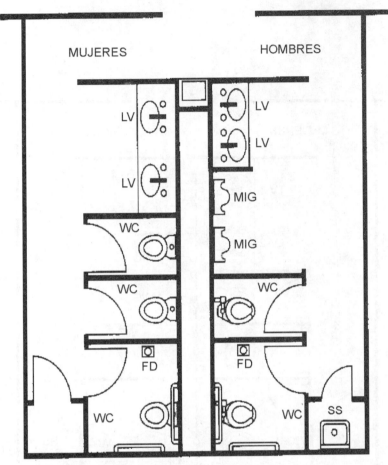

CLAVE: LV = LAVABO
WC = WATER CLOSE (BAÑO)
MIG = MINGITORIO
SS = LAVABO DE SERVICIO

**PLANTA ARQUITECTÓNICA DE DOS SERVICIOS PARA
BAÑOS DE HOMBRES Y MUJERES (ESPALDA-ESPALDA)**

3.5 DIMENSIONAMIENTO DE LAS COLUMNAS PARA AGUAS RESIDUALES Y LAS COLUMNAS PARA AGUAS PLUVIALES.

El diámetro de las columnas para aguas residuales se puede determinar dependiendo del número de unidades de descarga que desaloje la columna y de la longitud de la misma, el dimensionamiento se hace en forma similar a las derivaciones del colector, sólo cuidando de no sobrepasar los límites de longitud máxima y del número de unidades de descarga, para cada nivel y para las columnas de agua residual que descarguen W.C. deben tener un diámetro mínimo de 100 mm (4 pulg). En la Tabla 25, se puede determinar el diámetro de las columnas para aguas residuales en función del número máximo de unidades de descarga y la longitud máxima de la columna.

TABLA 25
DIÁMETRO DE COLUMNAS PARA AGUAS RESIDUALES Y PARA AGUAS PLUVIALES

DIÁMETRO DE LA COLUMNA		SÓLO PARA COLUMNAS DE AGUAS RESIDUALES		SÓLO COLUMNAS AGUAS PLUVIALES	
		NÚMERO MÁXIMO DE UNIDADES DE DESCARGA		LONGITUD MÁXIMA DE LA COLUMNA (m)	ÁREA DE CAPTACIÓN PROYECCIÓN HORIZONTAL M²
mm	PULG	EN CADA NIVEL	EN TODA LA COLUMNA		
38	1 ½	3	8	18	Hasta 8
50	2	8	18	27	9 a 5
63	2 ½	20	36	31	26 a 75
75	3	45	72	64	76 a 170
100	4	190	384	91	171 a 335
125	5	350	1020	119	336 a 500
150	6	540	2070	153	501 a 1000
200	8	1200	5400	225	

NOTA: El diámetro de las columnas para aguas pluviales está calculado para una intensidad de lluvia de 100 mm/hora.

$$A \text{ tabla} = A \text{ real} \frac{i \text{ real}}{i \text{ tabla}}$$

En columnas de agua pluvial se recomienda considerar el diámetro inmediato superior.

En columnas de agua residual en que descargan WC tendrán 100 mm de diámetro como mínimo.

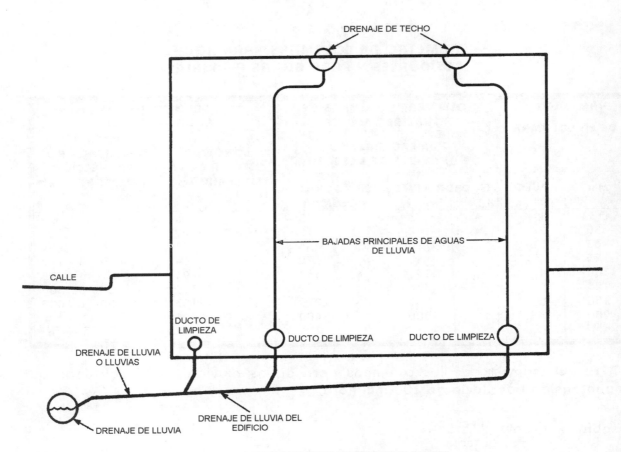

**SISTEMA DE DRENAJE DE LLUVIA EN UNA
CASA O EDIFICIO**

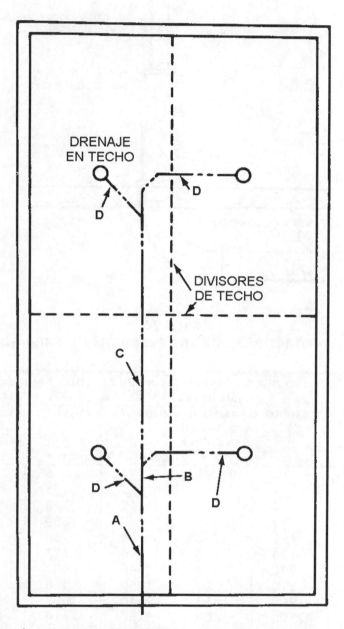

TUBERÍA DE DRENAJE DE LLUVIA EN UNA CONSTRUCCIÓN

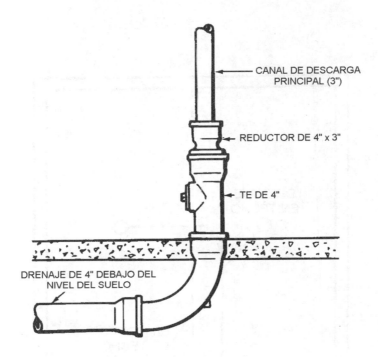

CANAL DE DESCARGA PRINCIPAL (3")

REDUCTOR DE 4" x 3"

TE DE 4"

DRENAJE DE 4" DEBAJO DEL NIVEL DEL SUELO

TABLA 26
DIÁMETRO DE COLECTORES PARA AGUAS RESIDUALES Y PARA AGUAS PLUVIALES

DIÁMETRO DEL COLECTOR		SÓLO PARA COLECTORES AGUAS RESIDUALES			SÓLO PARA COLECTORES AGUAS PLUVIALES		
		NÚMERO MÁXIMO DE UNIDADES DE DESCARGA			MÁXIMA ÁREA DE CAPTACIÓN – m²		
		PENDIENTE			PENDIENTE		
mm	PULG	1%	2%	4%	1%	2%	4%
32	1 ½	1	1	1	8	12	17
38	1 ½	2	2	3	3	20	27
50	2	7	9	12	28	41	58
63	2 ½	17	21	27	50	74	102
75	3	27	36	48	80	116	163
100	4	114	150	210	173	246	352
125	5	270	370	540	307	437	618
150	6	510	720	1050	488	697	995
200	8	1290	1860	2640	1023	1488	2065
250	10	2520	3600	5250	1814	2557	3720
300	12	4390	6300	9300	3022	4230	6090

Nota: Esta tabla toma en cuenta, en los valores mostrados, la simultaneidad de uso en función del número de unidades de descarga (o sea, del número de muebles).

TABLA DE EQUIVALENCIAS		
MULTIPLIQUE	POR	PARA OBTENER
A		
Atmósferas	76	cm de mercurio
Atmósferas	33.90	Pies de agua
Atmósferas	10.333	kg. por metro cuadrado
B		
BTU	0.252	kCalorías
BTU	107.5	kg. por metro
BTU　por minuto	0.0235	H.P.
BTU　por minuto	0.0176	Kilowatts
C		
K Calorías	3.968	BTU
Calorías	426.6	kg. por metro
Calorías por kg.	1.8	BUT por libra
Calorías por min.	0.0935	H.P.
Centímetros	0.3937	Pulgadas
Cm. cuadrados	0.1550	Pulgadas cuadradas
Caballos (caldera)	33520	BUT por hora
Caballos (caldera)	0.804	Kilowatts
G		
Galones	3.785	Litros
G.P.M.	0.063	L.P.S.
Gramos	0.0353	Onzas
Gramos por cm³	62.43	Libras por pie cúbico
H		
HP.	33000	Pies-Lbs. por minuto
HP.	76	kg-m por segundo
HP.	0.746	Kilowatts
HP hora	2544.6	B.T.U.
HP. Hora	641.24	Calorías
HP. Hora	273.745	kg-m
K		
Kilogramos	2.205	Libras
Kilogram/m²	0.2048	Libras/pie²
Kilogram/m³	0.0621	Libras/pulg3
Kilogram/cm²	14.22	Libras/pulg2
Kg/cm²	32.8	pies columna de agua
Kg/cm²	735	mm de mercurio
Kilómetros	3281	Pies
Kilómetros	0.6211	Millas
Kilowatts	56.92	B.T.U. por minuto
Kilowatts	14.31	Calorías por minuto
Kilowatts	1.341	H.P.
Kilowatts-hora	856.9	Calorías
Kilowatts-hora	3413	B.U.T.

TABLA DE EQUIVALENCIAS (CONT.)		
MULTIPLIQUE	POR	PARA OBTENER
L		
Libras	453.6	Gramos
Libras/pulg^2	0.0703	kg/cm^2
Libras/pulg^2	0.703	M columna de agua
Litros	0.03531	Pies cúbicos
Litros	0.2612	Galones
M		
Metros	3.281	Pies
Metros	1.091	Yardas
Metros cuadrados	10.76	pies cuadrados
Metros cúbicos	35.31	pies cúbicos
N		
Nudos	1.609	km por hora
O		
Onzas	28.35	Gramos
Onzas	0.0625	Libras
P		
Pulgadas	2.54	Centímetros
Pulgadas cuadradas	6.45	Cm cuadrados
Pulg de mercurio	0.03456	kg/cm^2
Pies	30.48	Centímetros
Pies cuadrados	9290	Centímetros cuadrados
Pies cúbicos	28.32	Litros
Pies-libras	0.01383	kg-m
Pies-libras	0.00129	B.T.U.
Pies-libras	0.00032	Calorías
Pies-libras	1.356	Joules
R		
Radiantes	57.30	Grados (ángulo)
T		
Temp. (grados C) + 273	1	Grados Kelvin
Temp. (grados C) +17.8	1.8	Grados Fahrenheit
Temp. (grados F)-32	0.5555	Grados centígrados
Ton. Metricas	2205	Libras
Ton. (long)	2240	Libras
Ton (long)	1016	kg
Ton (short)	2000	Libras
Ton (short)	907.2	Kg
Y		
Yardas	91.44	Centímetros

TABLA DE CONVERSION

PARA CONVERTIR:	A	MULTIPLIQUESE POR
PRESION		
Kg/cm^2	M.M. Hg.	760.0
Kg/cm^2	Lbs/pulgadas^2	14.223
Atmósfera	Lbs/pulgadas^2	14.7
Pulgadas Hg	Lbs/pulgadas^2	0.4912
Pulgadas Hg	Pulgada Agua	13.57
Pulgadas Agua	Lbs/pulgadas^2	0.03613
M.M. Hg	Lbs/pulgadas^2	0.01934
Lbs/pulgadas	Kg/cm^2	0.070388
VOLUMEN		
Centímetros^3	Pulgadas^3	0.061023
Metros^3	Galones	264.17
Litros	Galones	0.2642
Pies^3	Metros^3	0.02832
Pies^3	Pulgadas^3	1728.0
Pies^3	Galones	7.481
Galones	Litros	3.7853
TERMICA		
(+)		
HP. Caldera	BTU h	33475
HP. Caldera	Calorías	8432
HP. Caldera	Pies^2/vapor	139.48
HP. Caldera	Lbs/Vapor/Hora	34.5
HP. Caldera	Kg/vapor/ hora	15.6492
HP	BTU h	2545
K.W. hora	BTU	3415
Ton. Refrigeración	BTU h	12.000
BTU	KCalorías	0.252
KCalorías	BTU	3.968
Pie^2 vapor	BTU	240
FUERZA		
H.P.	Kw	0.745
Kw	BTU	1.341

(+) BTU.in/hr/sqft/°F x 59.307 = Kcal. m/hr/m^2/°C.

Equipos en las Instalaciones de Gas

4.1 INTRODUCCIÓN

En general, no hay muchas personas que intenten reparar un refrigerador o algún electrodoméstico mayor, y no necesariamente por flojera. Frecuentemente, las partes y refacciones son bastante caras, en ocasiones resulta de mayor sentido comprar un nuevo electrodoméstico, que hacer una reparación; por otro lado, hay marcas de fabricantes que ya están fuera de fabricación y de las que no se tienen manuales que faciliten su revisión y/o reparación. Sin embargo, existen numerosas reparaciones que tienen bajo costo y que no requieren de herramientas especiales y pueden extender la vida del electrodoméstico por varios años. Este capítulo, se concentra en tales reparaciones, para los principales aparatos electrodomésticos mayores.

Uno de los primeros aspectos a considerar es la limpieza de los electrodomésticos, ya que se encontrará que es sorprendente el impacto que tiene en la eficiencia y longevidad de los electrodomésticos.

Muchas partes que pertenecen a la parte externa de los electrodomésticos, como son: los filtros, los drenajes, las bobinas y los mecanismos; trabajan mucho mejor y tienen mayor duración cuando están cubiertos de polvo y telaraña o suciedad.

4.2 CALENTADORES DE AGUA.

Los calentadores de agua calientan el agua típicamente entre 50 y 60 °C. Cuando una llave o grifo se abre, el agua caliente fluye de la parte superior del tanque a través de la llave o grifo y el agua fría entra a través del tubo de bajada para ir reemplazando al volumen de agua caliente que se usa. La caída en la temperatura del agua se detecta por medio de un sensor de temperatura y un termostato abre una válvula que envía gas al quemador, en donde se enciende por una flama de piloto o una chispa eléctrica.

En esta parte, sólo se tratará lo relacionado con los calentadores de agua que usan gas como combustible, ya que existen también calentadores eléctricos. Algunos calentadores de agua a base de gas tienen una llama del piloto prendida en forma constante, en tanto que otros usan un sistema de encendido electrónico.

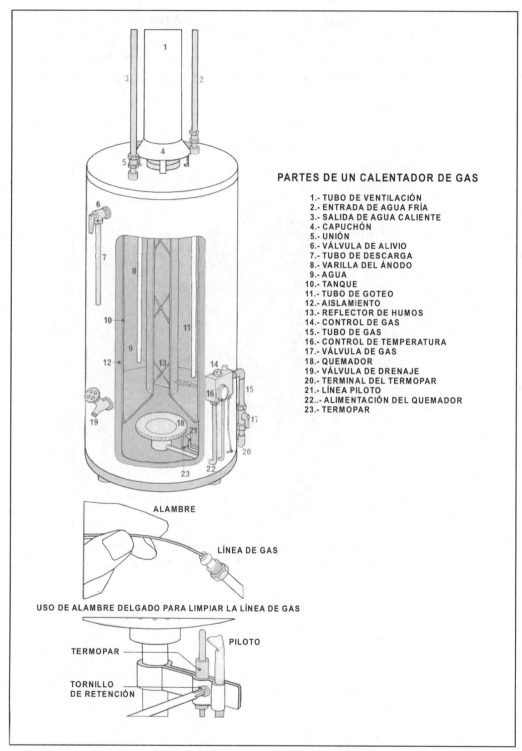

PARTES DE UN CALENTADOR DE GAS

1.- TUBO DE VENTILACIÓN
2.- ENTRADA DE AGUA FRÍA
3.- SALIDA DE AGUA CALIENTE
4.- CAPUCHÓN
5.- UNIÓN
6.- VÁLVULA DE ALIVIO
7.- TUBO DE DESCARGA
8.- VARILLA DEL ÁNODO
9.- AGUA
10.- TANQUE
11.- TUBO DE GOTEO
12.- AISLAMIENTO
13.- REFLECTOR DE HUMOS
14.- CONTROL DE GAS
15.- TUBO DE GAS
16.- CONTROL DE TEMPERATURA
17.- VÁLVULA DE GAS
18.- QUEMADOR
19.- VÁLVULA DE DRENAJE
20.- TERMINAL DEL TERMOPAR
21.- LÍNEA PILOTO
22..- ALIMENTACIÓN DEL QUEMADOR
23.- TERMOPAR

ALAMBRE

LÍNEA DE GAS

USO DE ALAMBRE DELGADO PARA LIMPIAR LA LÍNEA DE GAS

PILOTO

TERMOPAR

TORNILLO
DE RETENCIÓN

COMPONENTES DE UN CALENTADOR DE GAS

Esencialmente, un calentador de agua con gas, tiene una alimentación de agua fría, una salida de agua caliente, una válvula de alivio, una línea de gas y una salida de humos; los gases de la combustión son enviados de la cámara de combustión a través del tubo de ventilación, pasando por el reflector de humos.

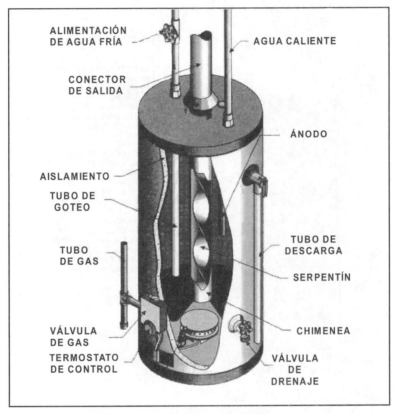

CALENTADOR DE AGUA A BASE DE GAS

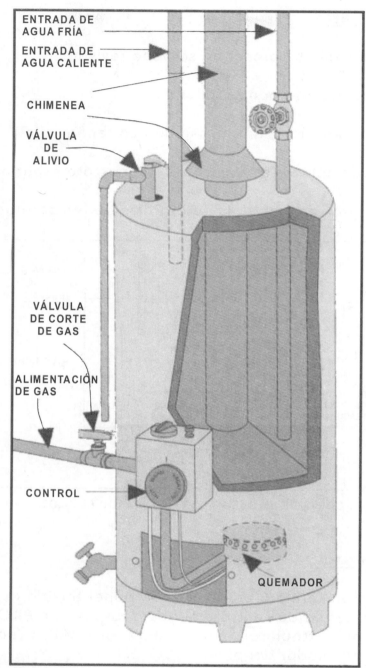

ENTRADA DE
AGUA FRÍA

ENTRADA DE
AGUA CALIENTE

CHIMENEA

VÁLVULA
DE
ALIVIO

VÁLVULA
DE CORTE
DE GAS

ALIMENTACIÓN
DE GAS

CONTROL

QUEMADOR

UN CALENTADOR DE GAS TIENE ALIMENTACIÓN DE AGUA
FRÍA Y CALIENTE, UNA VÁLVULA DE ALIVIO, UNA LÍNEA
DE GAS Y UNA SALIDA DE HUMOS.

Algunas de las recomendaciones para detectar fallas de funcionamiento
en los calentadores a base de gas, se dan a continuación:

NO HAY AGUA CALIENTE

Cuando este problema se presenta, se debe revisar:

→ Si es necesario encender el piloto.

→ Reemplazar el termopar en caso de que tenga falla.

→ Probar y reemplazar el elemento o termostato superior.

→ Restablecer o cambiar el límite de corte de temperatura alta.

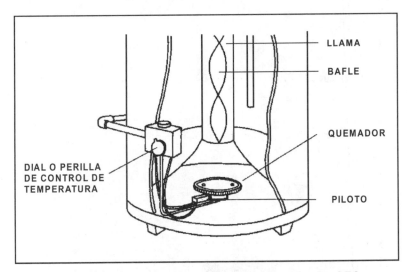

LLAMA

BAFLE

QUEMADOR

DIAL O PERILLA
DE CONTROL DE
TEMPERATURA

PILOTO

CORTE DE UN QUE MADOR MOSTRANDO EL PILOTO

ENCENDIDO DEL PILOTO

→ Se prende un cerillo o un pedazo de papel torcido que se enciende, se gira la perilla de control del gas a la posición PILOTO, se oprime el botón de restablecer, manteniendo el cerillo o papel encendido cerca del quemador del piloto.

→ Si el piloto no enciende después de algunos segundos puede ser que no se tenga gas o bien existe alguna falla en el suministro de gas. Si se trata de gas natural, se debe checar la llave de alimentación general, en el caso de recipientes para gas LP, verificar que tengan gas.

➜ Si el piloto enciende y permanece prendido, entonces se gira la perilla a la posición ON, y entonces el quemador principal debe encender.

➜ En caso de que el piloto no permanezca encendido, debe checar el termopar.

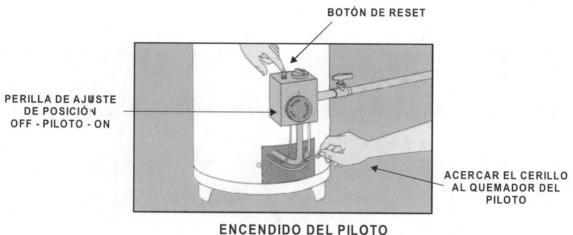

BOTÓN DE RESET

PERILLA DE AJUSTE
DE POSICIÓN
OFF - PILOTO - ON

ACERCAR EL CERILLO
AL QUEMADOR DEL
PILOTO

ENCENDIDO DEL PILOTO

INSTALACIÓN DEL TERMOPAR

Cuando se tiene la sospecha de que el termopar no funciona correctamente y se determina que es necesario instalar un termopar nuevo, se procede como sigue:

➜ Se coloca la válvula de control del calentador en posición de CERRADO (OFF), con una llave española de la medida adecuada se afloja la tuerca que asegura al tubo del termopar a la unidad de control.

➜ Se retira hacia abajo el tubo de cobre delgado que sostiene un extremo del termopar de la unidad de control.

➜ Se desprende la base del termopar y se desliza fuera del elemento de sujeción del piloto.

Para instalar el termopar nuevo:

➔ Se debe comprar un reemplazo exacto al termopar viejo, asegurándose que sea suficientemente largo.

➔ Se empuja la punta del nuevo termopar dentro del sujetador del piloto, localizando una tuerca que lo sujeta y se atornilla por la parte interna del sujetador.

➔ Se forma una curva con el tubo y se aprieta la tuerca en el extremo (a mano).

➔ Se abre la válvula de corte de gas y se enciende el piloto.

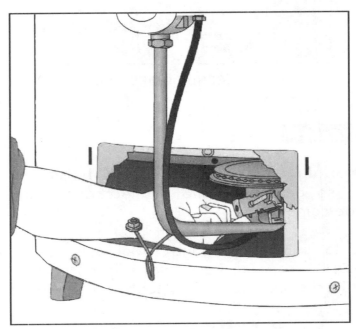

INSTALANDO UN TERMOPAR NUEVO

MANTENIMIENTO DE LA SALIDA DE HUMOS Y DE LA SALIDA O DESAHOGO.

1. Prueba de la salida.

➔ Temporalmente ajustar el calentador de agua a una temperatura elevada para encender el quemador.

→ Se da un tiempo de 10 minutos y se mantiene un cerillo encendido en la orilla del montaje de la salida, si está trabajando en forma apropiada, la flama del cerillo se debe desviar debajo del filo de conexión o unión de la salida.

2. Desarmado del sistema de salida.

→ Se pone la llave de control en la posición FUERA (OFF), se cierra la válvula de paso del gas, con esto se deja libre el acceso a la salida y al quemador.

→ Se retira el acceso del panel del quemador y se cubre el piso con papel periódico para capturar cenizas y hollín.

→ Para poder rearmar las secciones de los elementos de salida, se deben marcar.

→ Se desatornilla y retira el ducto de salida de la parte superior del tanque.

→ Cualquier sección dañada del ducto de salida se debe cambiar.

3. Limpieza del bafle o serpentín.

→ Estando el ducto de salida retirado, se levanta el bafle de la chimenea o salida de humos y se cepilla (cepillo metálico) para quitar polvo y hollín.

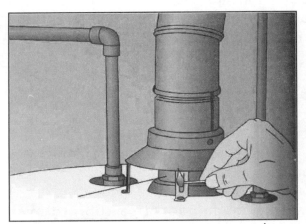

DESARMADO DEL SISTEMA DE VENTILACIÓN

* CERRAR LA LLAVE DE GAS
* RETIRAR EL QUEMADOR
* MARCAR LAS SECCIONES
* RETIRAR LAS PARTES

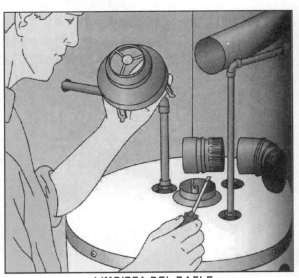

LIMPIEZA DEL BAFLE
RETIRANDO EL SISTEMA VENTILADO, SE LEVANTA EL BAFLE

LIMPIEZA DEL SERPENTÍN

RETIRANDO EL SISTEMA DE VENTILADO, SE LEVANTA EL SERPENTÍN.

4. Limpieza de la cámara de combustión.

→ Se reinstala el bafle, el ducto de salida y se hace el vacío en el interior de la cámara de combustión.

→ Se limpia el quemador y con un cepillo suave o un cepillo de dientes se limpia alrededor del piloto.

→ Se reenciende el piloto y se prueba la salida con un cerillo, como se indicó en el paso 1.

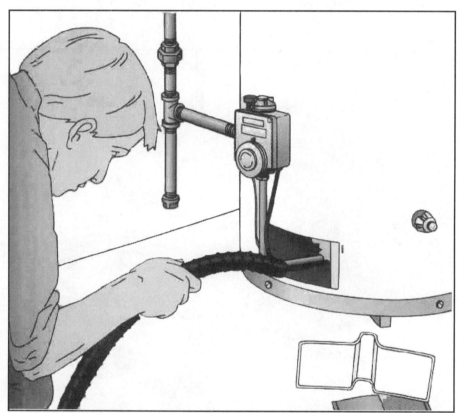

LIMPIEZA DE LA CÁMARA DE COMBUSTIÓN

* REINSTALAR EL BAFLE
* LIMPIAR EL QUEMADOR Y SUS PUNTOS CON UN CEPILLO SUAVE.
  EL PILOTO SE LIMPIA CON UN CEPILLO DE DIENTES
* ENCENDER NUEVAMENTE EL PILOTO

DRENADO DEL TANQUE

1. Corte del suministro de agua

➜ Para un calentador a base de gas, se debe poner la perilla de control en la posición FUERA (OFF), interrumpir la válvula de paso o cerrar el gas.

➜ Se cierra la válvula de alimentación de agua fría y se abre la llave o grifo de agua caliente en algún lugar de la casa, esto acelera el vaciado o drenado del tanque.

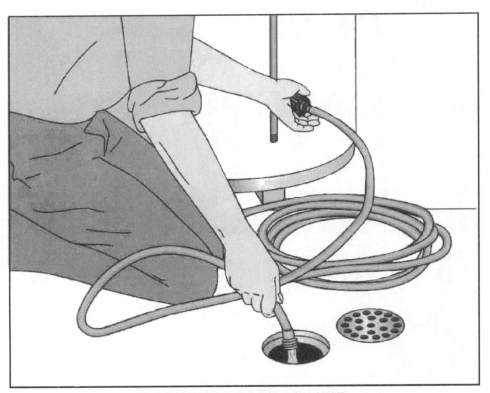

DRENADO DEL TANQUE

* PARA UN CALENTADOR DE AGUA, SE CIERRA LA LLAVE DE GAS
* SE CIERRA LA VÁLVULA DE ALIMENTACIÓN DE AGUA FRÍA

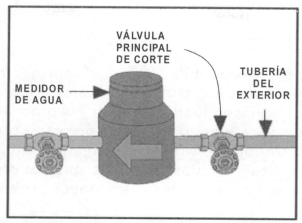

ANTES DE INICIAR UN TRABAJO, CERRAR LA
LLAVE DE CORTE PRINCIPAL.

RECOMENDACIONES PARA LA REVISIÓN DE UN CALENTADOR DE AGUA

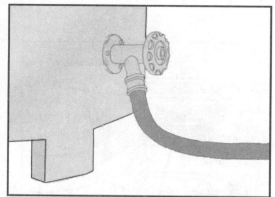

PARA REVISAR EL TANQUE SE DEBE EXTRAER
EL AGUA CON UNA MANGUERA.

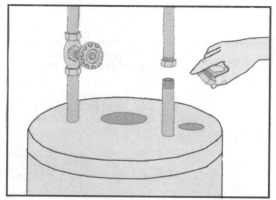

SE DESCONECTAN LOS TUBOS

ANTES DE DESCONECTAR LOS TUBOS SE PONE A NIVEL

4.3 ESTUFAS DE GAS.

Una estufa de gas tiene sólo algunas partes móviles, no tiene prácticamente componentes eléctricas, de manera que el mantenimiento y reparación de estas estufas, puede consistir de procedimientos aplicables a estufas de modelos viejos y nuevos, ya que todas tienen partes similares y pueden trabajar en forma semejante. Dar servicio, encender pilotos, limpiar y ajustar la superficie, los quemadores de hornos, son trabajos fáciles que se pueden realizar sin mayor problema.

En la estufa de gas se tienen básicamente dos áreas: los quemadores y el horno, algunas poseen también lo que se conoce como el tablero o panel de control, donde se encuentra el reloj, los controles de tiempo y algunos otros controles que indica. La parte principal es superficial, tiene las parrillas y quemadores; detrás o al frente, la consola de control.

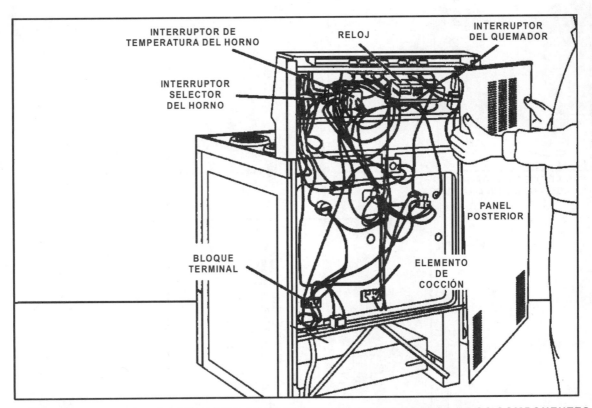

REMOCIÓN DE TORNILLOS DEL PANEL POSTERIOR PARA TENER ACCESO A LOS COMPONENTES

Dado que en una estufa de gas el horno se ubica en la parte inferior, el espacio que se encuentra debajo está dedicado a un compartimiento para una parrilla, esto puede tener alguna variante, dependiendo del fabricante, buscando en ocasiones mayor facilidad de acceso.

En la siguiente figura, se muestran unas de las partes principales de una estufa de gas.

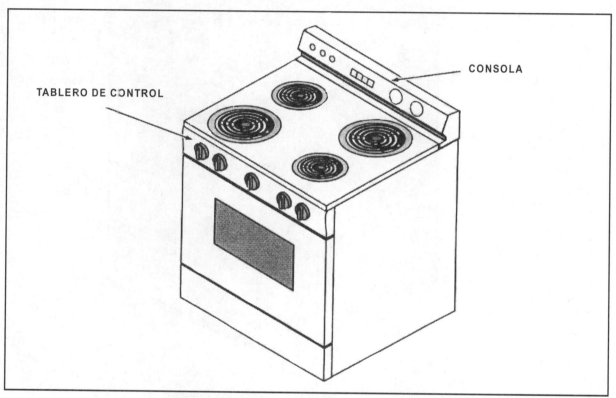

INDICACIÓN DE LAS PARTES DE UNA ESTUFA

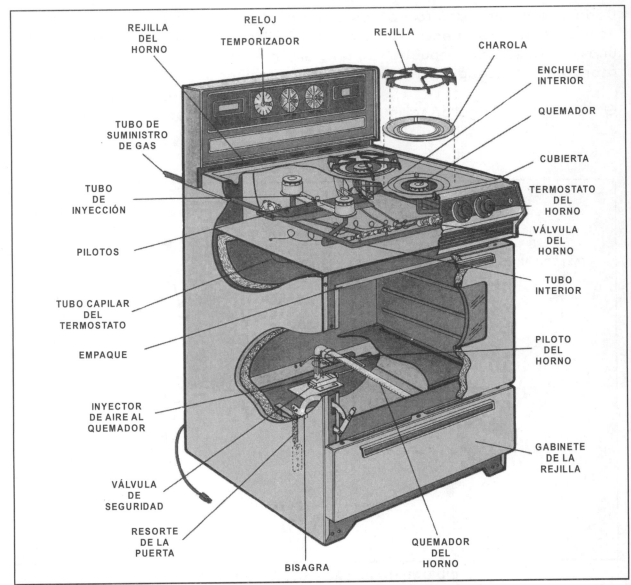

REJILLA
DEL
HORNO

RELOJ
Y
TEMPORIZADOR

REJILLA

CHAROLA

ENCHUFE
INTERIOR

QUEMADOR

CUBIERTA

TERMOSTATO
DEL
HORNO

VÁLVULA
DEL
HORNO

TUBO
INTERIOR

PILOTO
DEL
HORNO

GABINETE
DE LA
REJILLA

QUEMADOR
DEL
HORNO

BISAGRA

RESORTE
DE LA
PUERTA

VÁLVULA
DE
SEGURIDAD

INYECTOR
DE AIRE AL
QUEMADOR

EMPAQUE

TUBO CAPILAR
DEL
TERMOSTATO

PILOTOS

TUBO
DE
INYECCIÓN

TUBO DE
SUMINISTRO
DE GAS

PARTES PRINCIPALES DE UNA ESTUFA DE GAS

EL ACCESO A LA ESTUFA.

En las estufas de gas con componentes eléctricas, como son: reloj, lámpara, encendedores, se tienen internamente conectores y cables que se conectan a la alimentación (contacto) eléctrica exterior. Para tener acceso a la estufa, se recomienda primero que se desconecte de esta alimentación eléctrica.

➜ Se retiran las tapas de los quemadores.

➜ Se levanta la cubierta y se soporta con la varilla de soporte.

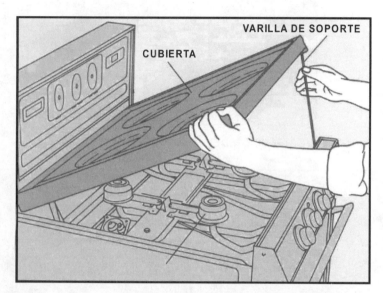

FORMA DE ACCESO A LOS QUEMADORES Y PILOTOS EN UNA ESTUFA DE GAS

Algunos de los problemas simples que se pueden presentar con las estufas de gas, son los siguientes:

PILOTOS DE LA ESTUFA

Una de las partes elementales de las estufas de gas que pueden presentar problemas son los pilotos, que sirven para encender los quemadores, cuando éstos se apagan con frecuencia, puede ocurrir que estén ajustados demasiado alto o bajo; también que el piloto se encuentre tapado, obstruyendo el flujo de gas. Para revisar este problema, se procede como sigue:

1) Reencendido del piloto.

➠ Se cierran los controles de la estufa y sólo se abre el correspondiente al piloto.

⟫ Se coloca un cerillo encendido cerca de la apertura del piloto, que está localizado en la parte media, entre los quemadores.

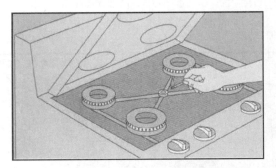

LOCALIZACIÓN DEL PILOTO EN UNA ESTUFA

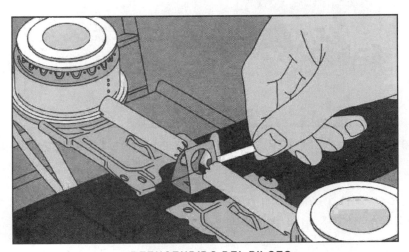

REENCENDIDO DEL PILOTO

2. Limpieza del piloto.

⟫ Retirar la cubierta de metal (en caso de ser necesario) apretando los seguros en cada extremo.

⟫ Usando una aguja de coser, insertar en el piloto para abrir, moviendo hacia arriba y hacia abajo para remover la obstrucción.

⟫ Si se trata del piloto de un horno, se procede de la misma manera para su limpieza.

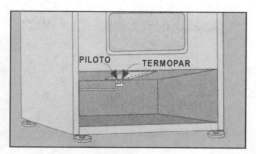

LOCALIZACIÓN DEL PILOTO EN UN HORNO

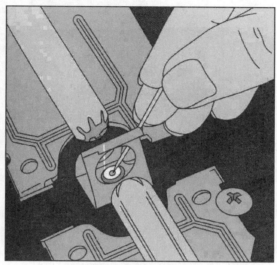

LIMPIEZA DEL PILOTO

3. Ajuste de la altura del piloto.

➡ Poner el control de los quemadores en la posición FUERA (OFF) u mantener abierta la tapa o cubierta.

➡ Localizar el tornillo de ajuste del piloto que generalmente está a un lado del piloto o sobre la línea de gas del piloto, cerca del frente de la estufa o detrás de la perilla de control del quemador.

➡ Girar el tornillo en sentido contrario a las manecillas del reloj para aumentar el tamaño del piloto, la flama debe ser aguda, delgada y en forma de cono con color azul, con una altura de 0.5 cm a 0.8 cm.

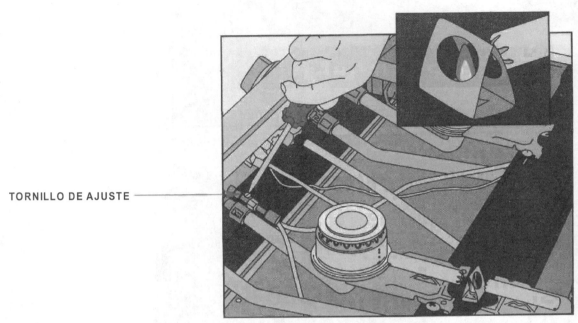

TORNILLO DE AJUSTE

AJUSTE DE LA ALTURA DEL PILOTO

QUEMADORES

1. Limpieza de los orificios de los quemadores.

Cuando algún quemador no prende, se levanta la cubierta y se verifica que el piloto esté encendido, o bien que el encendido electrónico (en su caso) funcione.

➡ Verificar que los quemadores estén asentados en forma apropiada, el tubo del chorro de gas se debe alinear con las perforaciones del quemador y el piloto.

➡ Usar una aguja para limpiar las perforaciones opuestas al tubo de chorro.

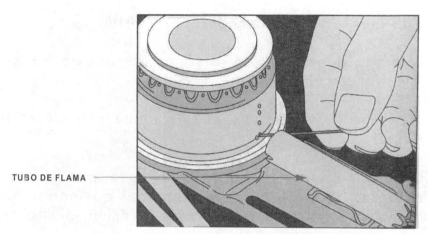

TUBO DE FLAMA

LIMPIEZA DE LOS ORIFICIOS DEL QUEMADOR

2. Retirando el quemador.

➤ Quitar la cubierta de la estufa.

➤ Levantar el quemador de su soporte y jalar hacia atrás, fuera de la válvula del quemador.

➤ Lavar el quemador en caliente con agua con jabón y limpiar los agujeros con un cepillo, así como las salidas de la flama con un quemador.

➤ Deslizar el quemador sobre la válvula de suministro y fijarlo en forma segura sobre su soporte.

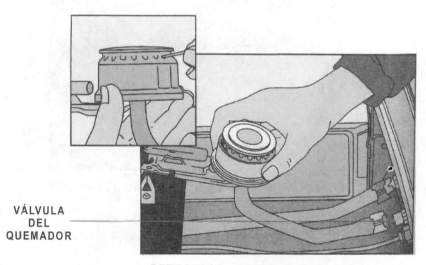

VÁLVULA
DEL
QUEMADOR

RETIRANDO LA SUPERFICIE DEL QUEMADOR

3. Ajustando la inyección al quemador.

➠ Colocar todos los controles en la posición FUERA (OFF) y levantar la cubierta.

➠ Localizar el inyector de aire, si tiene algún tornillo, se debe aflojar.

➠ Girar el control del quemador a la posición ALTO (High), entonces se desliza la apertura del quemador hasta que la flama muestre síntomas de aire excesivo, ajustar y apretar el tornillo.

➠ Se cierra lentamente el quemador, hasta que el tamaño de la flama y color sean los correctos.

➠ Se apaga el quemador apretando el tornillo de inyección, y se coloca nuevamente la cubierta.

Este procedimiento es relativamente simple, **pero en caso de que exista olor a gas, se debe cerrar el acceso principal o alimentación.**

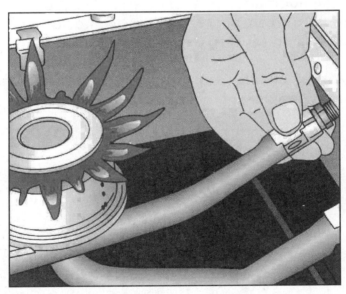

AJUSTANDO LA INYECCIÓN DEL AIRE AL QUEMADOR

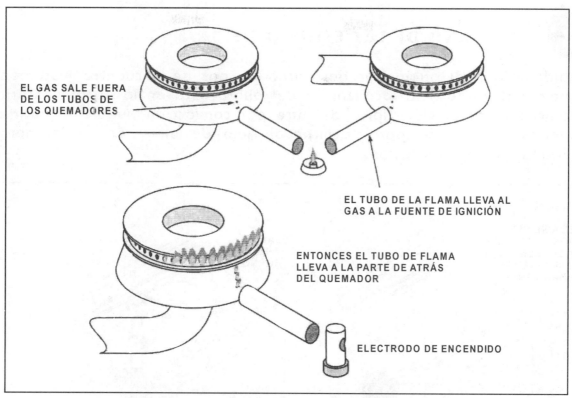

EL GAS SALE FUERA DE LOS TUBOS DE LOS QUEMADORES

EL TUBO DE LA FLAMA LLEVA AL GAS A LA FUENTE DE IGNICIÓN

ENTONCES EL TUBO DE FLAMA LLEVA A LA PARTE DE ATRÁS DEL QUEMADOR

ELECTRODO DE ENCENDIDO

ENCENDIDO DEL QUEMADOR DE GAS

Para cerrar la válvula de alimentación, si se trata de sistemas de gas LP, se hace directamente en la válvula del tanque. En el caso de alimentación con gas natural, se hace en la válvula de suministro.

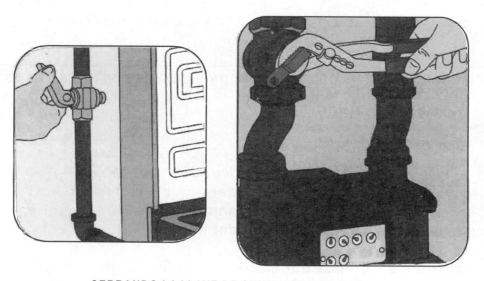

CERRANDO LA LLAVE DE SUMINISTRO DE GAS

4.4 EL HORNO DE LAS ESTUFAS DE GAS.

Debido a que el quemador del horno de gas se encuentra justamente debajo del horno y la localización del piloto está en la parte posterior, entonces la circulación típica del aire por convección puede requerir de agujeros en el piso para facilitar el flujo de aire dentro del horno, mientras está en operación.

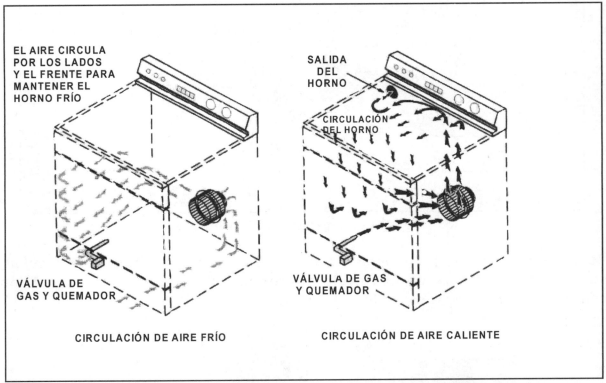

CIRCULACIÓN TÍPICA DEL AIRE POR CONVECCIÓN EN UN HORNO DE ESTUFA

RETIRANDO EL FONDO DEL HORNO

➔ En muchas estufas, el fondo del horno se puede retirar simplemente, en otros, se requiere que se deslice hacia adelante liberando algunos pequeños seguros en el frente o en la parte posterior, según sea el modelo del horno.

➔ Se retiran los tornillos que sostienen al fondo del horno en su lugar.

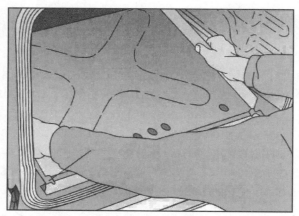

RETIRANDO EL FONDO DEL HORNO

RETIRO DE LA PUERTA PARA DAR SERVICIO AL HORNO

En la mayoría de los modelos de las estufas, simplemente se levanta y jala la puerta como se muestra en la siguiente figura, si es esto, sólo se jala la puerta hasta la primera ranura. En algunos otros tipos de hornos, se debe retirar primero uno o dos tornillos que sostienen la puerta con la bisagra, en otros modelos el acceso se debe hacer a través de la rejilla del horno, o bien por los paneles laterales.

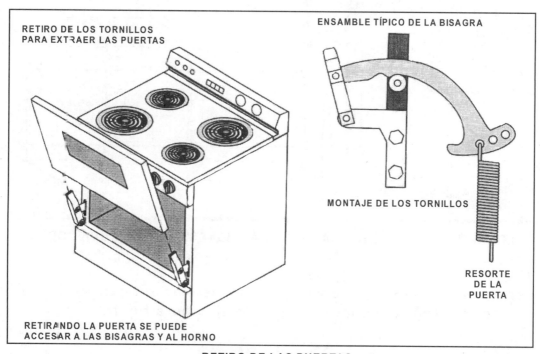

RETIRO DE LOS TORNILLOS
PARA EXTRAER LAS PUERTAS

ENSAMBLE TÍPICO DE LA BISAGRA

MONTAJE DE LOS TORNILLOS

RESORTE
DE LA
PUERTA

RETIRANDO LA PUERTA SE PUEDE
ACCESAR A LAS BISAGRAS Y AL HORNO

RETIRO DE LAS PUERTAS

4.5 SERVICIO AL SISTEMA DE EXTRACCIÓN DE HUMOS EN UNA COCINA INTEGRAL.

Las estufas frecuentemente forman parte de lo que se conoce como las **COCINAS INTEGRALES**, que están formadas por varios gabinetes para almacenar objetos propios del uso en las cocinas, como estas cocinas están en interiores, los humos, producto de los procesos del cocinado se deben extraer o absorber, para evitar congestión de humos en el local de la cocina, para esto, se usan los llamados sistemas de extracción de humos, cuya localización se muestra en la siguiente figura:

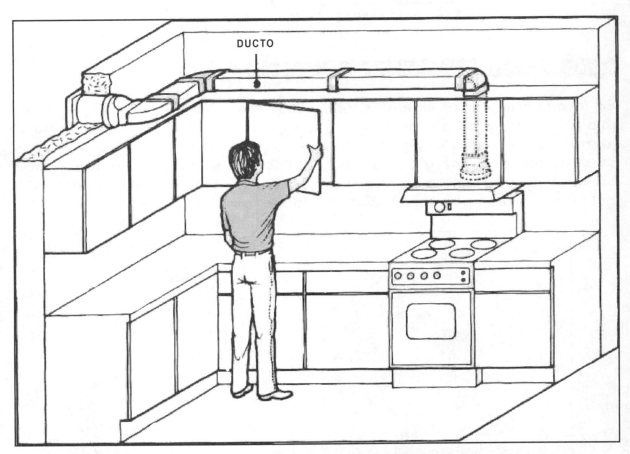

LOCALIZACIÓN DEL SISTEMA DE EXTRACCIONES HUMOS EN UNA COCINA

Las partes principales que constituyen un sistema de extracción de humos en una cocina integral, se muestran en la siguiente figura:

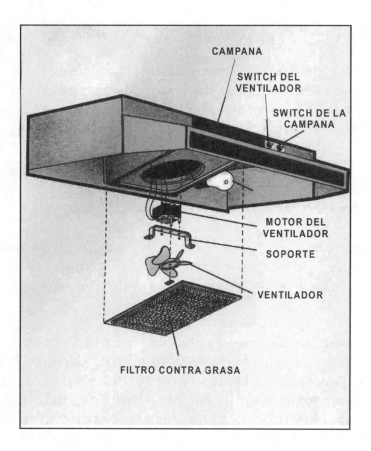

Algunas de las principales actividades para dar servicio al sistema de extracción de humos, son las indicadas enseguida:

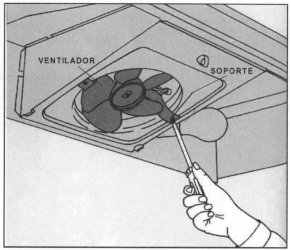

RETIRANDO EL VENTILADOR; DESCONECTAR LA ALIMENTACIÓN A LA CAMPANA, QUITAR EL FILTRO DE GRASA.

El procedimiento para la instalación de una estufa de gas, ya sea en forma aislada, o bien formando parte de un paquete de las **COCINAS INTEGRALES**, requiere de ciertas precauciones que deben ser tomadas como recomendaciones desde el punto de vista de la seguridad; en la siguiente figura, se indica el procedimiento a seguir en base a estas recomendaciones.

4.6   INSTALACIÓN DE UNA ESTUFA DE GAS.

Es necesario disponer de una línea de gas en donde se requiera, y entonces iniciar la instalación de la estufa de gas, leyendo cuidadosamente las instrucciones de instalación que deben venir del proveedor.

Las estufas modernas generalmente se instalan dentro de gabinetes, formando en ocasiones parte de las llamadas **cocinas integrales**, y no hay espacio libre entre gabinetes, pero se debe separar al menos 30 cm de la esquina más próxima en la cocina o sitio de instalación. Verificar si está autorizado usar un tubo flexible para la conexión, ya que esto facilita el trabajo y sólo es necesario incorporar un conector. Cuando no es posible usar tubo flexible, entonces se usa tubo de cobre rígido o tubo de acero negro rígido, pero cualquiera que sea el tipo de tubería a usar, se debe instalar una línea de derivación para corte del suministro cuando sea necesario.

Es indispensable determinar también qué conexiones eléctricas requiere la estufa. Se inicia la instalación cerrando la llave de suministro de gas y haciendo las conexiones, en la secuencia que se muestra en la siguiente figura:

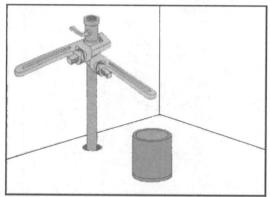

1 SE CUBRE LA ROSCA O CUERDA DEL TUBO CON CINTA O RECUBRIMIENTO PARA TUBO.

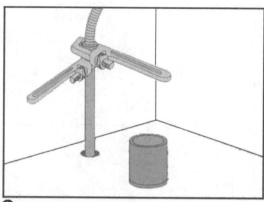

2 SE APLICA UN RECUBRIMIENTO DE TUBO Y SE FIJA EL CONECTOR FLEXIBLE.

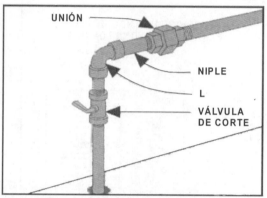

UNIÓN

NIPLE

L

VÁLVULA DE CORTE

3 PARA CONEXIONES RÍGIDAS SE USAN NIPLES Y UNIONES L.

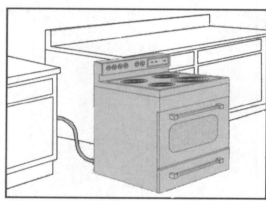

4 SE ACERCA LA ESTUFA LO SUFICIENTEMENTE CERCA COMO PARA CONECTARLA.

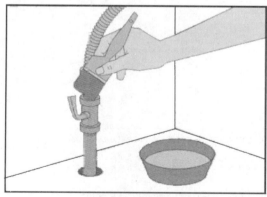

5 SE ABRE LA VÁLVULA DE CORTE Y UN QUEMADOR HASTA QUE SE SIENTA OLOR A GAS Y SE VERIFICAN FUGAS, APLICANDO AGUA CON JABÓN EN LAS UNIONES.

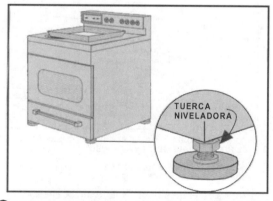

TUERCA NIVELADORA

6 SE COLOCA LA ESTUFA EN LA POSICIÓN FINAL Y SE NIVELA CON LOS NIVELADORES O AJUSTADORES DE PATAS.

RECOMENDACIONES PARA LA INSTALACIÓN DE UNA ESTUFA DE GAS

EQUIPOS EN LAS INSTALACIONES DE GAS

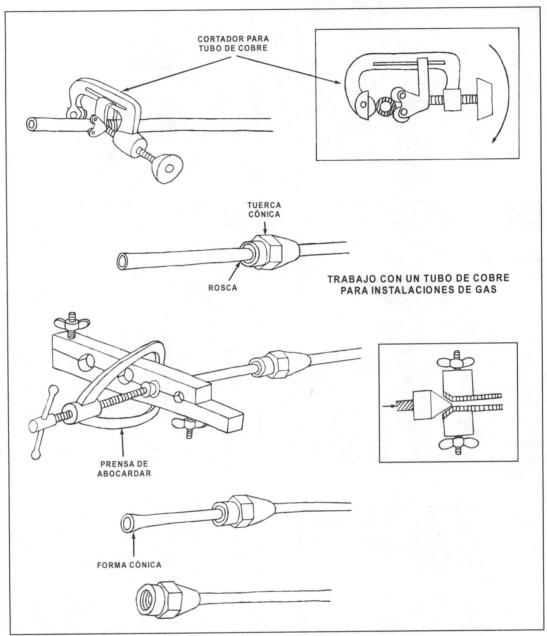

CORTADOR PARA
TUBO DE COBRE

TUERCA
CÓNICA

ROSCA

TRABAJO CON UN TUBO DE COBRE
PARA INSTALACIONES DE GAS

PRENSA DE
ABOCARDAR

FORMA CÓNICA

CORTAR O MANDAR CORTAR EL TUBO DE COBRE A LA LONGITUD NECESARIA CON EL CORTADOR ESPECIAL; NO USE SEGUETA PORQUE DEFORMA EL TUBO.

INTRODUCIR EN CADA UNO DE LOS EXTREMOS DEL TUBO UNA TUERCA CÓNICA CON LAS ROSCAS EN LA POSICIÓN CORRECTA PARA ATORNILLAR.

ABRA LOS EXTREMOS DEL TUBO CON LA PRENSA PARA ABOCARDAR PARA DARLE FORMA CÓNICA O MÁNDELO HACER EN LA FERRETERÍA.

ATORNILLAR LA TUERCA DE UN EXTREMO DEL TUBO A LA LÍNEA QUE VIENE DEL TANQUE DE GAS Y LA DEL OTRO EXTREMO AL TERMOSTATO DEL CALENTADOR O A LA ESTUFA DEL GAS, APRETANDO LAS TUERCAS CÓNICAS CON DOS PERICOS, UNO PARA SUJETAR LA PIEZA SOBRE LA QUE SE ESTÁ ATORNILLANDO Y OTRO PARA APRETAR. NO USE LLAVES CON DIENTES (STILLSON) O PINZAS, POR QUE DAÑAN LAS TUERCAS.

UNA VEZ TERMINADA LA INSTALACIÓN ABRA EL GAS. PONGA JABONADURA EN LAS JUNTAS; SI HACE ESPUMA O BURBUJAS ES QUE HAY FUGA DE GAS. REVISE LA INSTALACIÓN

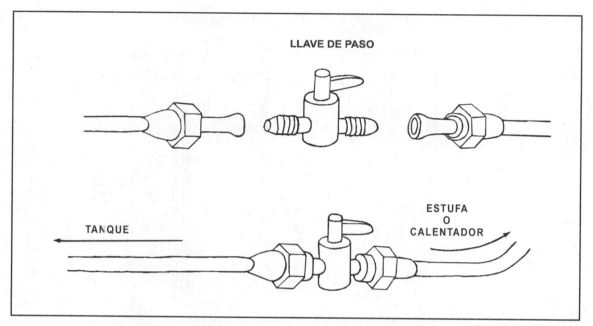

LLAVE DE PASO

TANQUE

ESTUFA
O
CALENTADOR

INSTALACIÓN DE UNA LLAVE DE PASO PARA TUBERÍA DE GAS

LAS LLAVES DE PASO SE INSTALAN CERCA DE LOS APARATOS PARA PODER CORTAR EL GAS SIN TENER QUE CERRAR LA LÍNEA GENERAL.

CON EL CORTADOR ESPECIAL CORTE EL TUBO DE LA INSTALACIÓN EN EL LUGAR DONDE VA A PONER LA LLAVE DE PASO.

INTRODUCIR LAS DOS TUERCAS CÓNICAS Y ABOCARDAR LOS EXTREMOS DEL TUBO.

ATORNILLAR LAS TUERCAS EN LAS TERMINALES DE LA LLAVE DE PASO, APRETAR BIEN CON AYUDA DE DOS PERICOS, UNO PARA SOSTENER Y EL OTRO PARA ATORNILLAR.

ABRIR EL GAS Y COMPROBAR QUE LAS JUNTAS NO TIENEN FUGA CON JABONADURA.

EMERGENCIAS CON INSTALACIONES DE GAS

1.- VENTILAR EL CUARTO DONDE SE HA PRESENTADO UNA FUGA DE GAS

- SE ABREN TODAS LAS VENTANAS Y PUERTAS EN EL CUARTO.
- SE DEBEN EXTINGUIR TODAS LAS FLAMAS, EXCEPTO LOS PILOTOS.
- NO SE DEBEN ENCENDER SWITCHES O APAGADORES.

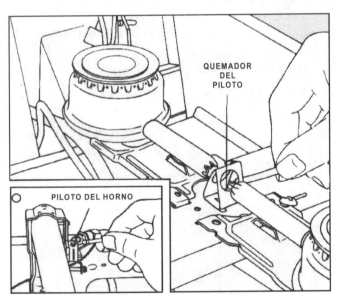

2.- REENCENDER TODOS LOS PILOTOS

- CHECAR TODOS LOS PILOTOS DE LOS DISTINTOS ELECTRODOMÉSTICOS QUE USAN GAS PARA ENCONTRAR QUÉ PILOTOS ESTÁN APAGADOS.

- ESPERAR UNOS MINUTOS DESPUÉS DE VENTILAR Y REENCENDER LOS PILOTOS QUE ESTÉN APAGADOS.

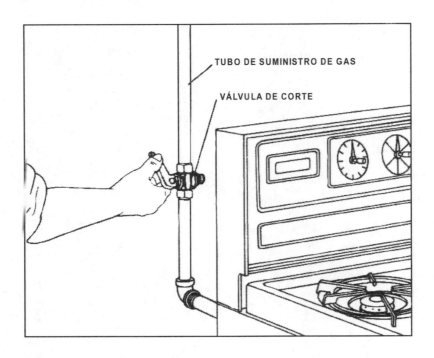

TUBO DE SUMINISTRO DE GAS

VÁLVULA DE CORTE

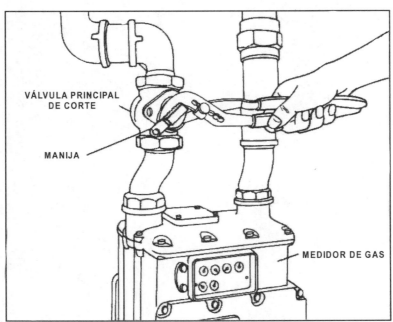

VÁLVULA PRINCIPAL DE CORTE

MANIJA

MEDIDOR DE GAS

3.- CERRAR EL SUMINISTRO DE GAS

- SI EL ELECTRODOMÉSTICO TIENE VÁLVULA DE CORTE EN EL SUMINISTRO DE GAS SE DEBE CERRAR, EN CASO DE QUE EL GAS EN EL CUARTO NO SE DISIPE.

- SI ES NECESARIO, SE DEBE CERRAR LA LLAVE DE ALIMENTACIÓN GENERAL A LA CASA.

BIBLIOGRAFÍA

1. Mechanical and Electrical Systems in Construction and Architecture.
   2nd Edition, Frank R. Dagostorio, Ed Prentice-Hall.

2. Mechanical and Electrical Systems in Building.
   William K. Y. TAO, Richard R. Janis, Ed. Prentice-Hall.

3. Handbook of Electrical Construction Tools and Material. Gene Whitson,
   Ed. McGraw Hill.

4. Home Heating and Cooling. Time-Life Books,
   Ed. Sunset.

5. Do it yourself, Home Repair.
   Ed. Better Homes and Gardens Books.

6. Home Repair Handbook. Sunset Books.

7. Manual de Instalaciones Hidráulicas, Sanitarias, Aire, Gas y Vapor.
   Ing. Sergic Zepeda C., Noriega Editores.

8. Reglamento de Ingeniería Sanitaria relativa a Edificios.

9. Building Technology, Mechanical and Electrical Systems.
   McGuiness and Stein, Ed. J. Wilty.

10. Plumbing. A. Ripka,
    Ed. ATP Books.

11.   Plumbing Workbook. E. Miller,
       ATP Books.

12.   Datos Práticos de Instalaciones Hidráulicas y Sanitarias.
       Becerril L. Diego.

13.   Plomería y Calefacción. F. Hall,
       Ed. Limusa

14.   Planning Drain, Waste and Vent Systems.
       Craftman Books.

15.   Basic Plumbing with Ilustration.
       Craftman Books.

16.   Manual del Instalador de Gas L.P. 4ª- Edición,
       Ing. Becerril L. Diego.

17.   Instalaciones Sanitarias en Viviendas. Colección P + P.
       Ed. Gustavo Gilli.

18.   Building Services Engineering. D.V. Chaddestan,
       Ed. Chapman and Hall.

19.   How to repair electrical appliances.
       Gershan J. Wheeler.
       Ed. Reston Books

20.   The new complete guide to home repair.
       Ed. Meredith books and Ed. Better home and gardens.

21.   Electrical, plumbing, insulation and the interior.
       Carson Dunlop & Associates.
       Ed. Stoddart.

22.   Fix your major appliances.
       Time life books..

LA EDICIÓN, COMPOSICIÓN, DISEÑO E IMPRESIÓN DE ESTA OBRA FUERON REALIZADOS
BAJO LA SUPERVISIÓN DE GRUPO NORIEGA EDITORES
BALDERAS 95, COL. CENTRO. MÉXICO, D.F. C.P. 06040
2208920000203544DP9200IE